故宫经典　CLASSICS OF THE FORBIDDEN CITY

GUQIN IN THE COLLECTION OF THE PALACE MUSEUM

故宫古琴图典

故宫博物院编

COMPILED BY THE PALACE MUSEUM

故宫出版社

THE FORBIDDEN CITY PUBLISHING HOUSE

图书在版编目（CIP）数据

故宫古琴图典／郑珉中撰文 .—北京:故宫出版社，2010.7（2019.12 重印）
ISBN 978-7-5134-0011-4

Ⅰ．①故… Ⅱ．①郑… Ⅲ．①古琴－中国－图谱 Ⅳ．① K875.52

中国版本图书馆 CIP 数据核字（2010）第 134529 号

编辑出版委员会

主　任　郑欣淼

副主任　李　季　李文儒

委　员　纪天斌　王亚民　陈丽华

　　　　冯乃恩　余　辉　胡　锤　张　荣　胡建中　闫宏斌　宋纪蓉

　　　　朱赛虹　章宏伟　赵国英　傅红展　赵　杨　马海轩　娄　玮

故宫经典
故宫古琴图典

主　　编：郑珉中
撰　　稿：郑珉中
摄　　影：冯　辉
责任编辑：朱　蓝　张圆满
装帧设计：王　梓
出版发行：故宫出版社
　　　　　地址：北京东城区景山前街 4 号　邮编：100009
　　　　　电话：010-85007808　010-85007816　传真：010-65129479
　　　　　网址：www.culturefc.cn
　　　　　邮箱：ggcb@culturefc.cn
制版印刷：北京雅昌艺术印刷有限公司
开　　本：889 毫米 ×1194 毫米　1/12
印　　张：21
字　　数：50 千字
图　　版：557 幅
版　　次：2010 年 8 月第 1 版
　　　　　2019 年 12 月第 5 次印刷
印　　数：11,501-14,500 册
书　　号：ISBN 978-7-5134-0011-4
定　　价：420.00 元

经典故宫与《故宫经典》

郑欣淼

故宫文化，从一定意义上说是经典文化。从故宫的地位、作用及其内涵看，故宫文化是以皇帝、皇宫、皇权为核心的帝王文化和皇家文化，或者说是宫廷文化。皇帝是历史的产物。在漫长的中国封建社会里，皇帝是国家的象征，是专制主义中央集权的核心。同样，以皇帝为核心的宫廷是国家的中心。故宫文化不是局部的，也不是地方性的，无疑属于大传统，是上层的、主流的，属于中国传统文化中最为堂皇的部分，但是它又和民间的文化传统有着千丝万缕的关系。

故宫文化具有独特性、丰富性、整体性以及象征性的特点。从物质层面看，故宫只是一座古建筑群，但它不是一般的古建筑，而是皇宫。中国历来讲究器以载道，故宫及其皇家收藏凝聚了传统的特别是辉煌时期的中国文化，是几千年中国的器用典章、国家制度、意识形态、科学技术，以及学术、艺术等积累的结晶，既是中国传统文化精神的物质载体，也成为中国传统文化最有代表性的象征物，就像金字塔之于古埃及、雅典卫城神庙之于希腊一样。因此，从这个意义上说，故宫文化是经典文化。

经典具有权威性。故宫体现了中华文明的精华，它的地位和价值是不可替代的。经典具有不朽性。故宫属于历史遗产，它是中华五千年历史文化的沉淀，蕴含着中华民族生生不已的创造和精神，具有不竭的历史生命。经典具有传统性。传统的本质是主体活动的延承，故宫所代表的中国历史文化与当代中国是一脉相承的，中国传统文化与今天的文化建设是相连的。对于任何一个民族、一个国家来说，经典文化永远都是其生命的依托、精神的支撑和创新的源泉，都是其得以存续和赓延的筋络与血脉。

对于经典故宫的诠释与宣传，有着多种的形式。对故宫进行形象的数字化宣传，拍摄类似《故宫》纪录片等影像作品，这是大众传媒的努力；而以精美的图书展现故宫的内蕴，则是许多出版社的追求。

多年来，紫禁城出版社出版了不少好的图书。同时，国内外其他出版社也出版了许多故宫博物院编写的好书。这些图书经过十余年、甚至二十年的沉淀，在读者心目中树立了"故宫经典"的印象，成为品牌性图书。它们的影响并没有随着时间推移变得模糊起来，而是历久弥新，成为读者心中的故宫经典图书。

于是，现在就有了紫禁城出版社的《故宫经典》丛书。《国宝》《紫禁城宫殿》《清代宫廷生活》《紫禁城宫殿建筑装饰——内檐装修图典》《清代宫廷包装艺术》等享誉已久的图书，又以新的面目展示给读者。而且，故宫博物院正在出版和将要出版一系列经典图书。随着这些图书的编辑出版，将更加有助于读者对故宫的了解和对中国传统文化的认识。

《故宫经典》丛书的策划，无疑是个好的创意和思路。我希望这套丛书不断出下去，而且越出越好。经典故宫藉《故宫经典》使其丰厚蕴涵得到不断发掘，《故宫经典》则赖经典故宫而声名更为广远。

目 录

005／序 一

008／序 二

010／前 言

023／一 古琴

171／二 观赏琴

197／三 琴谱

243／四 琴箱、琴桌、琴囊、琴弦

255／后 记

序 一

郑欣淼

　　《故宫古琴》一书问世，对于古琴的保护与古琴艺术的传承，无疑是很有意义的一件事。

　　2003 年，中国的传统音乐——古琴艺术被联合国教科文组织宣布为"人类口头和非物质遗产代表作"引起极大反响，使这一日渐式微的古老艺术又为世所关注。有着三千多年历史的古琴，是中国历史上最为悠久、最具民族精神、审美情趣和传统艺术特征的乐器，和中国的书画、诗歌文学等一起，成为中国传统文化的承载者。它有两个显著特点，一是和中国文人有着非常密切的关系。且不说孔子、司马相如、蔡邕、嵇康等都以弹琴著称，即如它的制作，虽是造琴工匠的作品，但却有文人的直接参与。它的演奏成了一种高雅和身份的象征，在中国文人所必需的素质修养"琴、棋、书、画"当中排在首位。二是古琴艺术长期以来不是面向大众的表演艺术。人们弹奏往往不仅是为了演奏音乐，还和自娱自赏、个人修养及情感交流等结合在一起。因此它成了一种贵族和文人的精英艺术。古琴艺术吸纳了大量优雅动听的曲调，演奏技法复杂而精妙。历代琴师对琴曲的流传和发展作出了重要贡献。在古琴的漫长发展历史中，产生了精湛的造琴工艺和造琴名家，现仍有不少名琴传世，都成了珍贵的古代文物。

　　故宫博物院现收藏古琴四十六张，其中三十三张为明清两代宫中古琴收藏的遗存，见证了历史的沧桑。古琴艺术不仅长期在传统文人雅士中广泛流行，而且历史上也不乏雅好古琴的封建帝王。唐代制琴名家多，琴文化发达，当与唐明皇重视音乐分不开。宋元明清，琴与文人的关系

空前密切，各个时代也有雅好古琴的帝王，这当然与他们的文化素养、审美趣味有很大关系。宋徽宗赵佶就是一位有名的酷爱古琴的帝王，他曾将流传于世的历代名琴收集起来置于宣和殿之"万琴堂"。故宫博物院收藏赵佶一幅《听琴图》。描绘在一棵高耸的青松之下，一个道人在信手弹琴，两旁石墩之上各坐一人，侧耳倾听，陶醉在美妙的琴声之中，整个画面一派清雅端肃的气氛。元世祖忽必烈不懂琴乐，但曾下令召见来自江浙的琴家王敏仲，珍藏传世名琴。明代帝王中多有爱好古琴者，除弹琴外，有的还喜欢造琴或作曲。清乾隆皇帝汉传统文化的根底很好。他喜欢收藏历代书画外，也非常热衷于收藏历代名琴。郑珉中先生在本书的"前言"中，用大量篇幅谈了明清宫廷古琴收藏的盛况，可惜 1860 年英法联军进攻北京，圆明园被劫毁，置于其中的一百零三张明朝所遗之历代古琴同罹劫难。1925 年故宫博物院成立，宫中所藏古琴仅三十六张，其中三张后南迁运台；中华人民共和国成立后，又相继接收与收购了一些古琴，使故宫藏琴增加到四十六张，不仅数量上在全国博物馆中居于首位，而且属于唐、宋、元三代的典型器就占藏琴的三分之一，即在质量上也是最好的。

　　《故宫古琴》由故宫博物院研究员郑珉中先生主持编写。郑先生 1946 年进入故宫，已届一甲子，虽退休多年，仍坚持每天上班，风雨无阻。先生于琴棋书画俱通，他的中国古书画鉴定及书画创作等，都有一定的影响。对于古琴，亦颇有造诣。故宫收藏古琴，二十世纪五十年代，即由郑先生同顾铁符先生一起鉴定划级的，后又陆续

发表了一些有关传世古琴的分期断代与具有鉴定性的论文。郑先生又是故宫现在能够弹奏古琴的绝无仅有的人。中国在向联合国教科文组织递交的《古琴艺术申报书》中，确认了包括港、台地区在内的我国五十二位古琴传承人，郑珉中先生名列第二十七位。我也有幸聆听过他的演奏。2003 年 12 月，王世襄先生荣获荷兰克劳斯亲王奖，我受邀到荷兰使馆参加颁奖仪式。在使馆门口，见到了同来出席的郑珉中先生，不过他身背一张琴，中式的蓝布衫，神凝气闲，一副儒雅、朴质的样子。在颁奖仪式上，郑先生抚了一曲《良宵引》，意态庄重，指法优美，稳健细腻，声情并茂，获得阵阵掌声。王世襄先生对古琴的研究也是有成就的，他能请郑先生演奏，固然有情谊因素，但郑先生的演技当是公认的。由这样一位对古琴既有理论研究又有弹奏实践的人来主持编写，人们有理由对这本书寄予大的期望。郑先生为这本书付出了大量心血，撰写了长达一万六千字的"前言"并作了"后记"。书的内容丰富，既有一定的观赏性又有相当的学术价值，确实是一本有份量的耐看的书。

本书有三点相信会对人们有所裨益：其一，对古琴知识的传扬。故宫博物院藏古琴既多又精，有着不同时期的代表作，例如九霄环佩，就是现存最为可靠的盛唐雷氏制作的伏羲式琴，把它们出版，为研究者提供了难得的实物资料，从中可以窥见中国古琴的发展历史，并从比较中有多方面的收获。作为辅助的与琴有关的古代文物，也会加深人们对源远流长的琴文化的体会。其二，对二十张古琴测绘了线图和可以窥见其内部构造特点的 CT 平扫图像，可供海内外制琴家观察研究，从而仿制出更多音韵绝伦的七弦琴。其三，郑珉中先生的"前言"是其终生研究古琴的心得集成，具有很高的学术价值，对于古琴产生发展的历史，对于湖北、湖南古墓出土的琴与传世古琴的关系，对于唐以后七弦琴能够传世的原因以及唐宋元明清各个时代古琴的发展状况，特别是对于传世古琴的断代，都有缜密而认真的考辨，都有自己的见解。把"前言"与书中所收古琴图像结合起来，读者自会有更深入的体会。

《故宫古琴》的出版，也给我们提出了一个新的问题，即非物质遗产保护与博物馆的关系问题。非物质文化遗产是近年来的一个新的概念，或称无形文化遗产，是相对于有形的物质形态的文化遗产而言，指的是各族人民世代相承的、与群众生活密切相关的各种传统文化表现形式（如民俗活动、表演艺术、传统知识和技能，以及与之相关的器具、实物、手工制品等）和文化空间（即定期举行传统文化活动或集中展现传统文化表现形式的场所，兼具空间性和时间性）。非物质文化遗产与物质文化遗产共同承载着人类社会的文明，是世界文化多样性的体现。我国非物质文化遗产蕴含着中华民族特有的精神价值、思维方式、想像力和文化意识，是维护我国文化身份和文化主权的基本依据。

可见，提出非物质文化遗产，这是人们在文物（文化遗产）保护观念上的一大发展。过去说到文物，都是看得见、摸得着的东西，现在认识到，许多非物质形态的东西，同样是重要的文化遗产，而且事关"文化身份"，其意义不言而喻。对博物馆来说，提高这方面的认识同样很重要。非物质文化遗产给博物馆发展带来了新的机遇，在丰富馆藏、拓展陈列展览的表现形式、密切博物馆与社会各界的关系以及促进博物馆自身的功能完善和结构调整方面，都会起到积极的促进作用。故宫博物院从自身工作任务出发，对有些属于工艺、技艺等方面的非物质遗产还是重视的，例如古建筑的工艺、技术，文物修复、装裱的传统技艺等，都有专门机构与专业人才，做得是比较好的。但还有一些类似古琴的与非物质文化遗产相关的器具、实物等，在认真保管好的基础上，如何在力所能及的条件下，或与社会力量相结合，进行必要的整理、传承和研究，也是应探讨的一个新课题。

保护非物质文化遗产已引起国际社会的普遍重视。2004年"五·一八"国际博物馆日的主题为"博物馆与非物质文化遗产"。2004年国际博物馆协会第二十届大会的主题也是"非物质遗产与博物馆",国际博协对此作了这样的解释:迄今为止,全球的博物馆学者都着重于收集、保存、研究、展示和交流有形的文化遗产和自然遗产。为此,他们建立了许多博物馆,作为学术研究、促进社会发展、诠释文化遗产和进行大众教育的场所。然而,文化不仅以有形的方式,也通过无形的要素表现出来。有赖于此,人类的文化得以世代相传。所以,国际博协希望通过本届大会,引起世界博物馆界对非物质遗产的更多关注。第二十届大会通过了《国际博物馆协会非物质遗产汉城宣言》,对博物馆在非物质遗产保护方面提出了一些要求和建议,例如建议博物馆特别关注并抵制无形资料滥用的企图,特别是它的商业化,建议所有的博物馆培训项目强调非物质遗产的重要性并将对非物质遗产的理解作为职业要求等。我国也正在认真开展非物质文化遗产普查工作,建立非物质文化遗产代表作名录体系,加强非物质文化遗产的研究、认定、保存和传播,建立科学有效的非物质文化遗产传承机制。博物馆在保护、展示、研究物质文化遗产方面有着丰富的经验,今天在非物质文化遗产保护、传承方面也应有所作为,这需要不断提高认识,从实际出发,积极探索办法。这是由《故宫古琴》一书所生发的一些感想,也是我们正在努力进行的工作。

绢本纵 29.4 厘米　横 130 厘米

《斫琴图》卷,水墨工笔绘,见《宣和画谱》《石渠宝笈》著录。内容简要绘出了古人制造"希声"七弦琴的全过程,计分为刨削琴坯、挖斫槽腹、制做岳尾、设弦审音四个部分,附带绘制了制弦的一个情景。全图共画出少长人物十四人:斫制者六人,指挥者二人,走来观看的主人一人,听候差遣与侍立童子五人,每人虽神情各异,而专心致志、严肃认真的神态则是一致的。是一件神完气足的杰作。

本幅前端钤有"柯氏敬仲""孙承泽印"及"乾隆鉴赏"圆印各一,卷末有著录《石渠宝笈》所钤盖的五方印章,及"宣和中秘"圆角长印一。

序 二

张忠培

风琴、钢琴这类键盘乐器输入之前，中国之乐器，大致可用吹、打、弹、拉四字概括。其中的拉，如二胡这类乐器，也是从历史上的当时中国的境外传入的，故中国自身生成的乐器，基本上可概括为吹、打、弹三字。

在中国古代，能否琴棋书画及其所达到的水平，是衡量人们文化素养的重要内涵。可见琴在中国历史的文化中占着相当重要的地位。这个琴，即"古琴"，或叫"七弦琴"，也就是这本《故宫古琴》著作所说的琴。乐器在悠久的中国历史演变中存在着一个变化过程，琴出现于何时，七弦琴在哪一个历史阶段的文化中占着重要的地位？

从考古学来看，湖北随县曾侯乙墓随葬的琴，是迄今见到的最早的琴，年代属战国早期；从历史文献观之，琴出现的年代较此为早，如《诗·小雅·棠棣》中有"妻子好和，如鼓瑟琴"，《诗·周南·关雎》也有"窈窕淑女，琴瑟友之"的诗句。考古见到的自然是事实，考古没发现的也不该否认其存在，故据这里所举文献应确认琴至迟于西周时期已经出现了。这时期琴的形态及其弦的数量，我们未见实物，难以知晓。至于何时成为七弦琴，以及琴何时跻身于贵族享用的重要乐器等问题，下列墓葬资料，或许能作些说明。

其一，直到西周晚期的王侯这类贵族的墓葬，如虢季这样国君墓随葬的乐器中都不见琴，而仅见编钟、编磬这类敲击乐器，这或许说明琴于这时期尚未挤入贵族享用之乐器和未成为礼乐的乐器。

其二，至战国早期，如曾侯乙这样身份较高的贵族墓随葬的乐器中，除有传统的编钟、编磬外，在打击乐器中也有鼓，另外，还增加了弹拨乐器瑟、琴和吹奏乐器笙、排箫及篪。其中琴二件，一为五弦琴，另一是十弦琴。这说明至战国早期琴已成为贵族礼乐乐器，但这时的琴还不是七弦琴。

其三，是荆门郭店一号墓和长沙马王堆三号墓。前者的年代，属战国中期偏晚。其墓主人为地位较低的上士贵族；后者的年代，为西汉初期，其墓主人是轪侯之子。郭店一号墓曾两次被盗，考古发掘时所见器物不全，于乐器中仅见七弦琴一件。马王堆三号墓随葬有琴、瑟、竽、笛实用器外，另有木质的编钟、编磬各十件冥器随葬。从这两墓随葬乐器的情况，使我们可得出如下两点认识：

一，是七弦琴出现的年代，当不晚于战国中期偏晚；

二，是马王堆三号墓随葬乐器的组合，以及马王堆一号属轪侯之妻墓仅出瑟竽实用乐器的情况，或许表明至西汉初期编钟、编磬这类"金石之乐"于其时的社会上层已进入衰落地位，其在乐器中的显赫位置，基本上已被琴、瑟、竽、笛所替代。

需要指出的是，以上列举的诸时期墓葬随葬乐器情况，大致能说明自西周晚期至西汉初期社会上层以编钟、编磬构成的"金石之乐"，这类仪礼乐之崩坏，和由琴、瑟、竽、笛这些重要乐器组成的新礼乐代之而起的过程。这一过程所呈现的变化，自然存在不平衡性，例如，同属西汉初期的济南洛庄汉王墓随葬的乐器全是编钟、编磬。但这一变化具有规律性，所以，它迟早终将展现出来。同时，这一变化正处于自王权为核心的封建专制政治体制的西周社会，到以皇权为中心的官僚本位主宰的集权专制主义政治体制的秦汉社会之间的转型时期，即产生主导辛亥革命前中国人思维方式的儒道思想的这一可称为古典时代的东周社会。那么，这礼乐的变化为什么恰恰出现于这一时期，和其时的社会转型存在着什么关系？以及对社会转型有怎样的意义？

郑珉中先生是海内外知名的古琴专家，是一位朴实的学者。他既能鉴定古琴，又能维修和演奏古琴，还熟谙古琴演变的历史。我先后在华盛顿和故宫欣赏过他演奏古琴，其委婉典雅之音，今犹在耳。已年过八十的郑珉中先生编著《故宫古琴》，可以说是故宫古琴遇到了知音，也是抢救故宫古琴的举措。无疑，他是编撰《故宫古琴》再好不过的人选。

郑珉中先生编撰的《故宫古琴》，由一篇丰实的《前言》和精美的图版两部分组成。

《前言》除了以简短的文字说明故宫旧藏和新藏古琴经历的命运以及图版的内涵外，主要讨论了古琴的历史演变、明清皇室与古琴的关系和古琴断代诸问题。郑珉中对这些问题，尤其是对古琴断代与古琴历史提出的认识，是较为详细而系统的，是经自己长期研究寻找出来的见解，乃是一家之言。关于明清皇室与古琴的关系，限于篇幅，郑珉中先生未展开论述，即使如此，人们也能从中窥视到皇室文化的一部分。这也相当珍贵。我是古琴的门外汉，于本文前头据了解的某些资料言及的意见，只能算急就章。读者要了解古琴的历史，还得认真阅读包括此《前言》在内的郑珉中先生的有关著述。至于我提出的意见，仅聊备一说而已。

至于本书的图版，不是《前言》的附属物，具有相对独立的意义。所以如此说，是因为它具有如下三件重要事实：

一是除古琴照片外，另有二十张线图和 CT 图像，这就使读者能较为详细地了解古琴的内外结构；

二是丝质琴弦、锦琴囊、琴箱和琴桌的图版给人们延伸了古琴自在环境的氛围；

三是图版中出现的琴谱、"听琴图"和"斫琴图"，增加了古琴的历史文化气氛，使古琴鲜活起来。只要人们细致地品味这些图版，则将被其引导到古琴所处的历史环境。

这些都是《前言》未涉及的内容，可以说图版是《前言》之外的郑珉中先生用心写作的另一本著作，具有相对独立的意义，而与《前言》相辅相成。故郑珉中先生编撰的《故宫古琴》是由《前言》和图版合璧而成的表述他本人长期研究成果的著作。这本著作的出版，是保存和向人们介绍故宫或中国古文化的重要举措，并将为提高人们的文化品味作出应有的贡献。

前 言

郑珉中

故宫博物院是在清室善后委员会接管了清宫的基础上建立起来的。当时逊清宫中汇集珍宝的延春阁已被焚烧，若干书画被以赏溥杰为名散失了出去，金编钟抵押给了银行。宫中珍品锐减的同时，雍正、乾隆时期被欣赏的古琴已所剩无几：专门收藏文物的南库只放了一张古琴；古董房才有三张古琴；有的宋元古琴被随意弃置在宁寿门外东院与苍震门外院的小房子里，给弄得蛛网尘封，残损零落，只有古物陈列所保管原热河行宫所藏的古琴较为完好。三十六张清宫旧藏古琴，就是清末北京叠遭兵燹之后，宫中所藏的全部古琴。1925 年故宫博物院成立，古琴才得到妥善安置集中保管。

中华人民共和国成立后，国家对祖国的文化遗产极端重视，在建国之初百废待兴之际国家就拨专款收购文物，在收购金石、书画、陶瓷的同时，以重金从上海将传世最有名的唐代雷琴"九霄环佩"收购回来入藏故宫博物院，接着又将湖南陈维斌捐赠的唐代雷琴"玉玲珑"入藏故宫博物院。在上级领导如此重视古琴的思想影响下，故宫博物院对古琴也重视起来，相继进行一些接收与收购，于是故宫的藏琴由原来的三十三张（原藏三十六张琴中有三张即宫中的宋广窑瓷琴、行宫的长安辛丑款"万壑松涛"与王徽之款的三琴南迁，今存台北故宫博物院。）增加到四十六张，其中属于唐、宋、元三代的典型器就占藏琴的三分之一，使故宫博物院的藏琴在全国博物馆中居于首位。

这批古琴既反映了故宫博物院藏琴的特点，也构成了本书学术性的基石，为了展示中国的琴文化及明清两代皇宫的遗存，本书的开端为院藏三十五张古琴的全形和局部图像，及其中有特点的二十张琴的线图、CT 平扫图像，继之以各种质地的观赏琴与明清两代宫中有关琴文化的重要遗存，如明初浙派画家绘制的《秋鸿》琴谱、清初三种满汉文琴谱，以及明代的朱漆雕填戗金龙御用琴箱、琴桌，清乾隆年间制作古锦琴囊和清代早期杭州制造丝质琴弦等。还收录了宋赵佶绘《听琴图》和宋人摹顾恺之《斫琴图》。这些古琴以外的文物可以说都是传世的孤品。此外响应中国古琴为世界非物质文化遗产决定的公布，为了使中国古琴音乐能得到继承发扬，在上述历代古琴中，测绘了重点古琴线图和可以窥见其内部构造特点的 CT 平扫图像，可供海内外制琴家观察研究，从而制造出更多音韵佳妙的七弦琴，借以使中国古代优美的琴曲得到充分表现，可供人们的欣赏与学习，这就是本书所具有的观赏价值与学术价值，也是我院编辑出版本书的目的所在。

为了使读者对古琴有较全面的了解，本文将就下列问题作扼要的概述：第一，古琴的产生、发展及其具有的音乐功能；第二，湖北、湖南古墓出土琴与传世古琴的关系；第三，唐以后七弦琴传世的原因及其发展概况；第四，对传世古琴断代的初步体会；第五，古琴的收藏与保养。

一、古琴的产生、发展及其具有的音乐功能

在讨论古琴的产生与发展问题之前，须先研究古文献所记史前传说。

司马迁在《史记·五帝本纪》中说："帝尧问可用者，四岳咸荐虞舜，曰：'可。'于是尧乃以二女妻舜，以观其内；使九男与处，以观其外……舜耕历山，历山之人皆让畔……一年而所居成聚，二年成邑，三年成都。尧乃赐舜

絺衣与琴，为筑仓廪，予牛羊。瞽叟尚复欲杀之，使舜上涂廪，瞽叟从下纵火焚廪。舜乃以两笠自扞而下，去，得不死。后瞽叟又使舜穿井，舜穿井为匿空旁出。舜既入深，瞽叟与象共下土实井，舜从匿空出，去。瞽叟、象喜，以舜为已死。象曰：'本谋者象。'象与其父母分，于是曰：'舜妻尧二女与琴，象取之；牛羊仓廪予父母。'象乃止舜宫居，鼓其琴。舜往见之，象愕不怿，曰：'我思舜，正郁陶。'舜曰：'然，尔其庶矣。'"这反映古琴的应用。在《史记·夏本纪》中舜将让位与禹时曾向禹提出："予欲闻六律，五声，八音。"这反映当时的音乐水平。《史记·乐书》中说："昔者舜作五弦之琴，以歌南风；夔始作乐，以赏诸侯。"这些记述说明舜作五弦之琴以前就有琴了，不然古琴出现就能声具五音与歌唱伴奏？琴张五弦应该是古琴第一次发展的明证。武王诛纣建立周朝后，古琴由五弦之琴发展为七弦琴，从此七弦琴作为各音皆备的弦乐器出现在东方音乐之林。

有人认为尧舜禹为古代传说，其时有琴似不能作为古琴产生的确证，唯有商代甲骨文中的"乐"字是以丝附木，才证明有了弦乐器的琴瑟。其实甲骨文的"乐"字只能说明琴瑟的弦乐之发音齐全，或产生早于其它别的乐器，并不是证明商代才有古琴。倘若认为上述有琴的传说还不足信，不妨再举古代相类的传说为例，证明古琴的上述传说是可信的。比如关于火，古代传说是"燧人钻木取火而民知饮食"，是说明上古之世人们生活已经用火，这个问题在北京周口店古遗址中已经存在，更被新石器时代的陶器所证明：不经过若干时间用火烧造的过程，泥坯就不能成为陶器。这证明上古之人发现了火加以运用之说是可信的。

又如文字，古代传说是"伏羲画八卦以开文教，作六书以代结绳"。八卦姑且不论，所谓"六书"，古人指的是制字之法。用"六书"这个词颇有汉儒之嫌，不如说作字比较明确。字不一定是伏羲所首创，因为还有"仓颉造字"之说。总之"字"首创于上古之世这个传说的可信也是不成问题的，古文字学家在新石器时代的半坡、姜寨、马家窑、城子崖、良渚等地出土的陶器上就发现有的刻划着若干符号，认为是"六书"以前的古文字，这就证明殷商的甲骨文、金文也是经过若干年演变，不断地再创造而后形成的。因此，不能看见甲骨文，才承认有文字；不能看见甲骨文的"乐"字是以丝附木，才承认有琴瑟乐器的存。它们并不是突然一天就出现的。对于火与文字的产生发展的传说从来没听到过有什么异议，何以对于琴的古代传说竟疑窦丛生不承认了呢？中华文明的字也好、琴也好，都是上古之人在生产劳动中创造的不断发展的，都有着相似的源远流长，在社会实践中逐步完善的轨迹是一致的。其实甲骨文金文中"乐"字恰好证明琴存在是先于甲骨文金文的。

如果看见甲骨文中的"乐"字才认定商代有琴瑟，就否定了古琴在源远流长的历史长河中产生发展的过程，也就否定了乐器是先民所创造了。

近代的考古发掘中，在河南小屯发现了一批甲骨，其上文字经王国维先生考订，就证明商代先公、先王世系与司马迁《史记·殷本记》中的记载相合，从而证明《史记》的记述是可信的，那么尧舜有琴之说应当也是可信的。

古琴由五弦发展为七弦之后的音乐功能，古琴家查阜西先生在《今虞琴刊·发刊辞》中说："古琴之音律，虽出于原始的五声音阶而音位则一本律吕……自明代中叶以后之传谱如虞山、广陵等派之《樵歌》《禹会涂山》诸曲，于变宫变徵之外已添用清商清羽而成九声音阶。""康乾以来，风传之《普庵》《释谈》诸操几乎全篇皆用四度、五度、八度、三长度等二重谐音，实已达对谱音乐之意境。""按之琴谱符字所记，指法疾者，如用于承接之滚、拂，虽以三十二分音符表示亦嫌不足，指法宕者，如放猱、大吟之类，比较四个全音符之时间而有余。""古琴之变调，基于律吕相生之法，系以一个基音顺生四次（即理论的绝对五度谐音）得五音宫、徵、商、羽、角，就此五音循律动，互换成旋律而为乐曲……此即其变调之大概。"且古琴散、泛、按音之音色多样为其它乐器所罕有，泛音之多超过所有的中外乐器，可见古琴的功能比之西洋乐器并无愧色。七弦琴成熟定型已历经数千年，故宋太宗想在琴的尺寸长短、设弦数量上作些改变，结果也是徒劳不能成功。这就是用两片桐木经过挖斫髹漆粘合之后安上琴弦，通过琴家弹拨就能发出美妙动听的音乐，七弦琴之奇妙就在于此。

二、湖北、湖南古墓出土琴与传世古琴的关系

历代琴人对琴器产生与发展的认识，似乎没有什么分歧，对琴产生于上古之世，伏羲神农削桐为琴绳丝为弦，舜作五弦之琴以歌南风，到殷末周初文王武王各增一弦遂得七弦之名，千百年来好像没有不同的看法。对于琴器本身，相传"椅桐梓漆，爰伐琴瑟"之说，也从来没有不同想法。对于琴的造型也没有设想过今日所见之琴，与上古之作的差异若何，只知道历代的尺度有变化，可能古今之琴在尺寸宽窄、长短上有些区别，不过今天所见天启崇祯的琴，较某些明琴就短小一点，因此笼统说短小一点的琴年代早也不确切。本来历代琴家对所弹的传世古琴的产生和发展，都相信文献上的记述，文献不记形制，也没有过多的想法。但自从二十世纪七十年代湖南马王堆西汉墓和湖北随县战国墓各出土一具尺寸短小，琴面起伏不平，没有标志音阶的琴徽，且皆以一足安于面板后部之琴尾上，半截琴箱随时可以开启，琴腹较窄，藏小轸于腹中

调弦要用的青铜琴钥，特点相似而与传世古琴不同的琴之后，遂在古琴界和国乐界中引起了人们的雅趣。于是有人完全否定了文献所记，提出出土的琴是传世古琴的前身，今日的七弦琴是由这种出土的琴发展而来的；但又指出出土的琴显然作为乐器的功能还不全，可能是当时的一种法器；又说传世的琴是在什么时候才从出土的演化出来的呢？据说是西晋，因为嵇康《琴赋》中提出"徽为钟山之玉"才明确琴上有徽。有的学者指出琴徽的出现早于西晋，枚乘《七发》中讲到琴"九寡之珥以为约"，就是琴徽。有的琴人以出土之琴为据，竟就《七发》进行了一再的争论。如果舜作五弦之琴上无徽，如何能调音伴奏琴歌？如果以"徽为钟山之玉"定传世古琴在西晋才形成，则传世古琴的历史将比琵琶还要晚许多。这种说法显然是不能令人信服的。与湖南马王堆出土的完全相同的琴，在湖北荆门郭店战国墓也出土了一张。于是在楚国湖南、湖北两地出土了相同的琴，而湖北两个战国墓却出了不同的琴，虽然两具战国墓的琴不同，其特点却是一脉相承的。关于楚琴之事，在《左传》中有晋侯观于军府见钟仪一事，琴家并不陌生，累见引用，其文曰："晋侯观于军府，见钟仪，问之曰：'南冠而絷者谁也？'有司对曰：'郑人所献楚囚也。'问其族，曰：'伶人也。'……使与之琴，操南音……范文子曰：'乐操土风不忘旧也。'"这里的"南冠""南音"、"土风"说明楚地的衣冠、音乐与中原不同，而三张琴的出土地同属于楚，应该是楚琴无疑，用晋国人的话说那就是"南琴"或"土琴"。土琴自然与中原晋国的七弦琴有所不同。湖北出土的两张战国琴其时间地域大体相同，因此它们之间的不同不能说有继承与发展问题，那么湖南西汉墓出土的琴由曾侯乙墓琴发展而来的设想自然也不能成立了。于是四川丰都、奉节的东汉弹琴俑的琴，与1990年山东章丘女郎山东汉（一说为战国）大墓所出的彩塑弹琴俑的琴都是琴面光平琴箱完整，显然和湖北荆门郭店战国墓、湖南马王堆西汉三号墓出的半截琴箱的琴，自然也毫不相干了。不然，从郭店琴到马王堆的琴由战国

经历了秦到西汉没有变化，何以由西汉的马王堆琴，到东汉四川丰都、奉节、山东女郎山的琴，会发生如此不同的质变，是什么原因促成的呢？楚地出土半截琴箱的琴确与传世的七弦琴没有关系。半截琴箱的琴可以揭开，底与面是松动的，琴的槽腹狭窄，腹中藏着琴轸，而轸又短又小，调弦转轸确有下指困难的现象，因而学术界所称为"琴钥"的一种工具，就是为这种楚琴所特制的调弦专用的用具。不过有人提出，楚琴调弦专用的工具何以在南越王墓也出土了一具？据《史记·南越尉佗列传》载，南越与长沙接境，曾发兵攻长沙边邑。所以南越王就有了楚琴及其调弦专用的工具。而传世七弦琴调弦转轸则根本无须用这种工具，所以几千年来中原地区的古墓葬中仅有青铜轸出土而从来极罕见出过青铜制造的这种"琴钥"，因此古琴家一向不承认琴上用"琴钥"调弦。倘若有个别地区出现，也是由楚国流散过去的。用不用这种"琴钥"调弦，也有力地证明传世七弦琴与出土的楚琴本来就是不同的两种乐器，它们之间确实没有什么继承关系。南越王墓出了楚国特有的"琴钥"，就再一次证明司马迁《史记》之说是有据的。

此外，有的琴家根据嵇康《琴赋》有徽，而两湖出土的琴上没有徽，提出传世古琴晚于出土的楚琴，传世古琴定型于魏晋之世，或就是西晋时才形成今天这个样子·。不过这个看法仅着眼了徽，而对整段文字却忽略了，《琴赋》说："……华绘雕琢，布藻垂文，错以犀象，籍以翠绿，弦以园客之丝，徽为钟山之玉。爰有龙凤之象，古人之形，伯牙挥手，钟期听声。华容灼烁，发采扬明何其丽也。"玉徽不过是华丽装饰之一，这种有装饰的琴即所谓的"宝装琴"。另外还有一种没有上述装饰的琴，名曰"素琴"，是居丧当中弹的，见《礼记·丧服四制》："祥之日，鼓素琴。"不知道由什么时候开始"宝装琴"没有了，只剩下了素琴传世。华夏之琴这样的发展变化，又是如何从出土的楚琴上继承发展来的呢？从出土楚琴形制特点来看，它所具有的音乐功能还是比较差的。钟仪弹琴习惯了，弹晋国的琴

也出现"乐操土风不忘旧也"的情况。一定要把楚琴认定为中原七弦琴之祖，无疑是把二者混淆了。

按西周的封国，除周室子弟、功臣外，各民族也受了封，民族文化得到了保留，所以秦灭六国才有书同文的举措，虽然文献未记各时代的琴形，但从古琴由五弦发展为七弦后，至今未有变化，可以设想弦乐器中相当长度、一头宽一头窄扁而长的琴，其基本形体又能有如何改变？

三、唐以后七弦琴传世的原因及其发展概况

七弦琴历史悠久。从西周开始，在数千年的历史长河中，七弦琴在不同时代或兴盛发展，或处于低潮，这种起伏状态在文献的记述与近世的琴史中均有清楚的反映。为什么在唐前的墓葬中不见有琴出土，从唐开始才有七弦琴传世，这是所有琴书从未涉及的问题。近代琴史或将楚琴两具放在前边 对此问题可以含糊过去，或侧重于琴人、琴曲，将琴器作为细枝末节略作交代也就过去了。而今本书既已明确提出中原七弦琴与楚琴有地域之分和性能之异，是以对于这个问题必须有所交代而不容含混。那么，自西周至唐以前为什么未见七弦琴传世，更未见有出土？今天只有从考古发掘的出土器物中找答案。在商代妇好墓中，有相当多的漆皮存在，这恰似从朽烂棺木上脱落下来的。再从出土古代漆器来看，汉以前的漆器，皆系在木胎上直接施漆，这种髹漆方法即俗称之为"靠木漆"，这种做法因年久木质涨缩、漆皮逐渐脱落成为废品，或入土后，木质受潮气之浸，一旦出土，随着坯胎干缩扭曲变形，即自然损坏，故今日发明脱水术以使其逐渐适应地上气候，使器物得以保存下来。如此，古代的七弦琴是不是因为系"靠木漆"制成之故，既不能传世久远，而又不能入土不坏呢？非但古代七弦琴没有传世和出土，即"琴瑟友之"的瑟也从来未见踪迹，恰好证明大件的靠木漆器是难以传之久远的。固然两湖楚国地区潮湿更甚于东周以来的其它封国之地，却有琴瑟出土未尝损坏，是不是因系王侯大墓皆以厚厚"白膏泥"密封而得以保全的呢？抑或

长期置于潮水中可不坏呢?

唐代之后七弦琴出土的记载,文献中仅见三例:其一,《云烟过眼录》称:金章宗得宣和内府所藏第一琴,系唐雷威所制之"春雷"琴,章宗殁,挟之以殉,十八年后复出人间,略无毫发动,今又为诸琴之冠,盖天地间"尤物"也。其二,复见该书所记:某处掘地得一古琴,并未损坏,欲献于内府,或以为墟墓中物,不宜进御。其三,二十世纪七十年代初《文物》杂志发表,山东发掘明初鲁荒王墓,出元人书画等物和一张南宋"天风海涛"琴于墓室中。该琴入土约六百余年,从图像看,琴面基本完好,仅琴底顺着龙池凤沼向内卷裂,看样子,再过四百年,在地下埋一千年再出来,琴也可能还是这个样子。今天出土后,博物馆惧其干燥变形,犹封闭保藏不轻示人云。

今天结合传世唐琴来看,七弦琴传至唐代,在髹漆工艺上已经不是"靠木漆"的做法,而是在木坯之上增加上一层约近两毫米厚的生漆和鹿角灰漆胎,琴背木胎之上鹿角灰胎之下还有一层葛布在其间,这种制琴方法,既可以令其坚固耐用,更可以增加七弦琴的金石之声。在琴器制作上出现如此的变化,似乎是出于对传统之琴的声音还不满意和为了保存前贤手泽。这或者就是唐代七弦琴改进制作方法的目的。自唐代之后,琴得以代代相承流传于世,从此"古遗"与"希声"之琴在名琴家的手下,演奏出无数的养性怡情、和平雅正的音乐为世人所欣赏。

1、唐五代在七弦琴制作方面的改进

七弦琴的改进是和社会上的要求以及皇帝的需要分不开的,也是和贞观、开元的盛世分不开的。当太平盛世、物阜年丰之际,文化艺术发展,传统的琴文化才能得以兴隆,对乐器才有改进提高的要求,才会出现质的变化。就盛唐时期的唐明皇来说,他是一个极喜欢声色精通音乐的皇帝,据《羯鼓录》中说:"明皇性俊迈,酷不好琴,曾得听'正弄'未及毕,叱琴者待诏出去,谓中人曰:'速召花奴将羯鼓来,为我解秽。'"从字面看他是一个不喜欢琴乐

之君,但在《陈拙琴书》中又记载着"明皇返蜀,诏雷俨充翰林斫琴待诏"。两则记录前后矛盾,唐明皇既不爱琴,为何又要当时的造琴名家来作斫琴待诏为之造琴呢?如是则召花奴来所解的秽,似乎不是指的琴乐,而是对曲目和拙劣之琴的声音厌恶了。召雷俨为斫琴待诏也可能因为"太子即位于宁武",更号改元之后需要造一批新的乐器。明皇指定要雷俨制造古琴,证明唐明皇非常注重琴音,而所解之秽确是指曲目"正弄"与难以入耳的琴声音了。

古语说:"上有好者,下必有甚焉。"由于唐明皇讲究音乐,当时手工艺又非常发达,因此七弦琴得到前所未有的改进,琴乐为社会所重,于是唐代出现了若干位名琴家创造了若干琴曲,创造了减字谱和著名的咏琴诗篇,著作了有关琴学的书籍,出现了琴派雏形的祝、沈二家不同的声调(以上见许健著《琴史初编》),更涌现了一批著名的制琴家,如冯昭、娄则、路氏、樊氏和超道人,江南的张越、沈镣,四川的郭谅和自开元以至开成间的雷氏制琴世家。雷氏兄弟祖孙三代皆以制琴为业,自唐以后雷氏琴历代皆享重名,为人所称道。其第一代中有雷霄、雷俨、雷绍、雷威四人,均为开元间的制琴能手,合并雷震、雷文、雷迅、雷会、雷珏等五人,有"蜀中九雷"之称。此外还有宗室李勉自肃宗时起在朝中任丞相二十余年,性好制琴,合新旧桐材或选桐孙之精合律者,杂缀为之,谓之"百衲琴"数量极多,为后世制琴之一法。

唐代制琴名家如此众多,但千年以来流传至今者约有十七张,除一张在美国之外,余皆藏于国内。盛唐、中唐、晚唐之器俱全,既有"长安辛丑"、"至德丙申"和"太和丁未"四字腹款的宫琴,也有出售的商品琴;既有雷氏之琴,也有非雷氏之作。但未见与文献记载中的张越、沈镣形制声音相同之器,更不知李勉之作为何如了。

故宫博物院如今所藏的四张唐琴,据其形制及前人的鉴定,计有盛唐琴一、中唐琴二,与一张晚唐之作。盛唐"九霄环佩"琴,槽腹当扁圆龙池凤沼处作一条凹下的圆沟。中唐"玉玲珑"琴为圆形龙池,故当扁圆凤沼处,槽

腹仍开凹下圆沟。这种做法似即宋人所谓"其背微隆若薤叶然"，系雷氏第一代人制琴的特点，亦即所谓雷氏"子孙渐志于利、追世好而失家法"的家法特点，所以中唐以后的雷氏琴不再见这条圆沟了。"玉玲珑"琴只有沼部挖沟可以视作雷氏子孙开始失家法之证。中唐"大圣遗音"琴腹池内有朱漆隶书"至德丙申"四字，为中唐之始的宫琴，或系雷俨所监制者。晚唐"飞泉"琴，池旁原刻铭文中有"至人珍玩，哲士亲清。达舒蕴志，穷适幽情"之句，显然系作为商品出售之琴，前人曾定为雷氏琴，就其形制声音而论，此说可信。

从这四张唐琴的 CT 平扫图像看，共同的特点第一是选材讲究，底面年轮基本是对称的，第二是槽腹挖斫较深，膛内比较宽阔，第三是足池实木为圆形，面积较小，与琴足相似，琴肩以上、尾以下之面板较薄，其大略情形如此。惟"九霄环佩"琴其面板系当中一片，左右肩用两根稍长条木材拼合而成，在额下及岳山两侧रां有小块木头补垫其下，琴底则是完整的一块整木制成，颇似旧材或旧琴重新修合。

五代十国虽然仅有五十余年的历史，然而其间文化发展还是出现了爱好文艺的李后主和酷爱七弦琴的钱忠懿王。钱忠懿王为了寻觅名琴，以廉访为名派人出访，发现寺庙之亭柱为绝好桐木琴材，因贿寺僧易归，逾年制成二琴以进，一名"洗凡"，一名"清绝"，声音佳妙为旷代之宝。虽二琴已不存在，而今人得伪品犹什袭藏之。其影响之巨可见一斑了。在现存十七张唐琴中有三张属于晚唐之作，与他琴略异，因忆及琴家查阜西先生为旅顺博物馆鉴定晚唐"春雷"琴时说：该琴系晚唐所制，至迟不会晚于五代。他说明五代之琴应具有晚唐的风格特点，表明工艺的继承发展，确是笃论。如是则与它琴略异之三张晚唐古琴抑或为五代之遗，未可知也。

2、宋金元时期七弦琴的发展

陈桥兵变赵匡胤接替后周的统治建立了宋朝，结束了五代十国的割据，恢复全国的统一，采取正确的政治经济政策，经济得到了发展，科学、文化、艺术均得到进一步的繁荣。琴乐当然也得到很大的发展，当时的皇帝、大臣、僧俗、百姓爱好古琴者甚众。特别在北宋初，太宗很看重古琴，曾欲扩大琴音，采取了加大琴体，又增琴弦的实验，但皆未达理想而罢。北宋后期的徽宗皇帝酷爱绘画，亦爱古琴，将流传于世的历代名琴收集起来置于宣和殿之"万琴堂"（事见《云烟过眼录》）。据《宋史》所载：徽宗用魏汉津策，作"大晟乐"，其中祭祀、朝贺的大乐中要用八十多张琴，仅七弦琴就要用二十三张，分一、三、五、七、九弦的琴若干张，名为五等琴，传世的一批"大晟钟"完全是按照出土的春秋宋成公钟造型装饰所铸造，如是则当年张莲舫所藏之仿唐宋款"大圣遗音"琴，有可能就是大晟乐中的五等琴之一。专为皇家制造器物的作坊，北宋始有专事造琴的"官琴局"，据《格古要论》称：官琴局造琴皆有定式，而民间制琴则称为"野斫"，显然野斫的琴是没有定式、定制的琴，其形式大小与腹款内容皆可任意为之，这恐怕就是造成宋琴多样化的原因之一。另外在宋代人们开始提倡好古，因此才有金石学，好古遂成为风气，所以在官窑瓷器中出现了仿古铜器的造型。由于琴人对唐琴的欣慕与追求，于是在古琴中也出现了唐代腹款的宋斫，从此开创了新斫旧款古琴作伪的先河。从传世北宋后期的野斫琴中，发现了北宋末年款的一种体长形扁、面上项腰皆仿唐做成圆棱之作，可知"宋扁"之琴实自北宋末期始。

靖康二年，金军攻占汴京、徽、钦二宗蒙尘于北，所有北宋文物、古琴被拼命掳掠干净，一共装了二千零五十车一齐运往燕京，除一部分分赏将士之外尽纳入金廷府库之中。（事见《靖康稗史·呻吟语》）

北宋覆亡之后，康王赵构于同年在应天府即皇帝位，改元建炎，史称南宋高宗。金人退后，高宗始建都于临安，仅存江南半壁山河的偏安局势，且大多时间处于金人来侵的情况之下，然而江南地区有着北宋以来建立的经济文化基础，北宋覆亡，一批文人学士相继南下，因此南宋时期无论史学、文学、音乐、艺术等都取得了光辉成就，在古琴方面也是相当繁荣的。据《梦梁录》所记，市民家庭乐队都有琴瑟，妓女亦擅琴瑟，可见南宋琴乐的普及状况。

据《琴史初编》称，由于两宋古琴的繁盛，也涌现了一批著名的古琴家，且多刊印了各自的琴谱或有关琴学的著述，有的传授弟子代代有名。如北宋的朱文济是一位大琴学家，被誉为天下第一，相继授徒贯串北宋始终，且皆系琴僧，其演奏特点是以意韵胜，此外还有擅长古琴的文学家如欧阳修、苏轼、范仲淹等。南宋琴家有郭楚望、杨瓚、徐天民、毛敏仲、汪元亮等都各有琴谱传世，至今犹被琴家继承演奏。

幽雅的琴曲所以能够表现出来供广大群众欣赏，主要依赖的是"妙指、希声"。"妙指"说的是高超的演奏家，"希声"说的是九德俱全之琴所发出来不同凡响的声音。所以琴乐发展的时期。必然有高超的斫琴家造出声音极其圆满的七弦琴来。两宋虽然处于侵略战乱之中，而文化艺术却高度发展，琴家辈出，名家所造的琴也不少。斫琴家北宋有蔡睿、僧仁智、卫中正、朱仁济、马希亮、马希仁、赵仁济，南宋有金远、陈遵、严樽、金渊、陈享道、马大夫、梅四官人、龚老应奉等。今天可以看到腹款的只有马希仁、金远、刘安世、严恭远等，其余都是无款的琴，其中不乏希声之琴。半个世纪以来经过摩娑寓目之两宋古琴近四十张，其中既有宫琴、官琴名家手制，又有民间野斫以及伪作晋唐款字之器，约二十余张分别收藏在博物馆与研究单位之中，另有十余张犹在民间由古琴家收藏使用。而故宫博物院收藏的北宋琴计有"万壑松""金钟"二琴，南宋琴为"玉壶冰""清籁""玲珑玉""海月清辉""奔雷"等七张琴，计九张宋琴，官琴野斫俱全，传世两宋古琴的情形大抵如此。

蒙古成吉思汗时期即开始侵金，1213年包围金中都燕京，翌年金人被迫迁都开封，燕京随即落入蒙古军手中。1233年，蒙古联宋，夹攻金朝。次年正月，蔡州城陷，金

亡。蒙古背誓随即对南宋大举进攻，经过连年征战，于元忽必烈之至元十三年攻陷临安，俘南宋恭帝、两太后、宗室、官吏，并书籍、户册、祭器、乐器、仪仗等，尽情掳掠，席卷而去。元太宗时，左丞相耶律楚材深得太宗眷顾，太宗知楚材善琴，竟将金章宗用以殉葬的唐雷威制之"春雷"琴相赐。楚材爱琴并收得唐代宫琴长安辛丑款"万壑松涛"及北宋斫"石涧敲冰"二琴藏于其家，并皆刻"玉泉"二字大印于琴阴，作为收藏之印记。元朝皇帝不懂琴乐，但重用琴人，珍藏传世名琴，亦间接起到促进古琴发展流传的作用，从耶律楚材的诗文集中，可以知道当时在他周围确有一些名古琴家从事古琴的活动。虽然两宋时期遗留下不少希声的古琴，但元代却依然出现了几位名制琴家，如严古清、施牧州及朱致远与文和。朱氏之琴见过五张，故宫博物院藏有两张，文氏琴仅见一张洪武九年之作。今另三张朱致远琴、一张文和琴均由琴家藏用之中。故宫博物院所藏的九张宋琴两张元琴，除宋琴"清籁"琴今在国外展出之外，其余均已作了CT平扫图像。

宋元古琴从CT平扫图像看，与唐琴制作存在着明显的差异，在选材上并不注意年轮是否对称，琴面弧度较小，琴体较薄而琴材较厚，槽腹斫去的实木不多，内部起伏甚微而空间较狭窄，纳音不明显，起项实木出现完全去掉的，有的足池不做，完全用木块粘成。元琴造型较宋琴有气魄，而内部亦有新意，或亦去掉起项之实木，或在实木之处更增加出半圆形实木于项间，尾部亦留半月形实木，不过较项间小而已，此似欲作韵沼而遗忘者，是或有意，未可知也。

3、明代是历史上古琴发展的极盛时期

从《明史·本纪》来看，朱元璋虽出身寒微，但他战斗生活的区域都是南宋汉族政治文化深深扎根的江南，故他于起义过程中，在至正二十年三月即召刘基、宋濂等人来到他的左右(按《历代琴式》所载，蕉叶琴为刘基所创始)。即皇帝位后，设"文华堂"广罗文才，将江南著名

琴家徐和仲、刘鸿、张用轸征召前来，永乐八年，亦善鼓琴的成祖朱棣敕命编纂《永乐琴书集成》二十卷藏于宫中，成为帝王嗜琴的表率。于是爱好古琴的皇帝相继出现，如宣德、正统、成化、弘治、嘉靖、万历、崇祯。他们除弹琴之外，有的喜欢造琴，将当时造琴名手召来宫中，在武英殿造琴；有的喜欢作曲，调名琴家进京来一起研究。他们还指定太监学琴，造就出一些著名的太监琴家，在社会上执牛耳，是以紫禁城中弦歌不绝。藩王中有宁王朱权、衡王朱祐楎、益王朱祐槟、徽王朱厚爝、郑王朱厚烷、潞王朱常淓，还有崇昭王妃钟氏。他们或修谱行世，或大量斫琴传世，既活跃当时又嘉惠后人。皇子们对古琴的发展也作出了巨大的贡献。太监中著名的琴家有戴义及其弟子黄献。据说，戴义是南宋徐天民传派苏州张助的弟子。明代刘若愚《酌中志》称：戴义琴技为当代琴坛中居首位，曾与南中妇较琴艺高下。黄献著有《梧冈琴谱》传世。明代有太监张元德所制之琴流传于世，胡喜谏所制之琴犹存宫中。当时民间的琴派除了南宋传下来的江派与浙派之外，还有虞山派的严徵、徐青山，绍兴派的尹尔韬、张岱等。有《松弦馆琴谱》及后来印行的《徽言秘旨》等传世。（见《琴史初编》）在明朝七弦琴如此昌隆的情况下，著名的斫琴家自然应运而生，如江西的涂氏自明初为宁王制琴起到嘉靖、万历间世代有人，如涂思桐、涂二明等，明中期钱塘的惠祥、惠熊，明晚期的吴门张敬修、顺修、敏修、季修等，都是祖孙、弟兄相继，制琴传世。至于如高腾、施彦昭等一代制琴家更有相当数量。在传世古琴中明琴约近十分之九，制作精美者往往被人视为宋斫，其佳妙如此。明代的皇帝虽然在琴文化方面有所关注，有所促进，但将国家、人民抛在脑后，纵容宗室勋戚扩大庄园，压迫侵夺剥削农民，将国家政务交付阉宦，亲小人、远贤臣，逼使陕北农民爆发起义席卷至京，城破崇祯皇帝煤山殉国。李自成于武英殿即皇帝位后，吴三桂将侵略明朝疆土的清兵请进关来，清顺治皇帝就便接收了紫禁城，于是明朝十四代君王居住的九重宫阙易主，宫室府库的历代珍宝包括历

代的藏琴，皆顺理成章地化为清帝所有。

明琴的 CT 平扫图像显示出继承各时代传统制琴法的特点十分明显，殊少新意。只有蕉叶琴底面的嵌合法与无底蕉叶槽腹的制作法，是前所未有的，此外弘治御制琴是取旧材拼合而成，与盛唐"九霄环佩"颇为相似。

4、清帝爱"风雅"明宫遗琴竟毁灭

清廷入关后的第二代皇帝康熙生活在明代建造的宫殿之中，日日面对明朝二百三十余年苦心积累的历代书籍与无数的文物珍品，如入宝山，时刻吸引着他的好奇心，经过一段时间的摩挲，经过儒臣的指点，懂得必须掌握入门的钥匙才能消化吸收它们，于是诏令儒臣开始编书，如认识汉字的《康熙字典》，作诗的《佩文韵府》，了解书画技术及其历史的《佩文斋书画谱》，有关音乐的《律吕正义》等，开辟了掌握汉文化的通道。通过儒臣的辅导，康熙已经写出一笔潇洒的董体书法，熟悉了汉文化，并用来处理政务了。康熙皇帝在《律吕正义序》中说："丝乐虽多，惟重琴瑟，其为乐也最古，其为声也最正，然具声变之义者，尤莫如琴，今欲辨琴之音调，必先考其法制，详其弦度、徽分，然后体用备而数理明焉。"他不仅有这样的认识，还特制了一张古琴的小模型，其长约二十厘米许，黑漆、仲尼式、金徽、玉轸足、七弦俱备，制作精巧合度，龙池上刻贴金方印一，篆书"康熙御制"四字，藏于宫中，并命当时懂琴的人按照明代《梧冈琴谱》手抄成满汉合璧本准备学琴，所抄若干今犹有三部满汉文琴谱收藏宫中，可见当时康熙皇帝既想学习弹琴，也想制造古琴，所以才有"康熙御制"琴模型的制作，不过最终是知难而退放弃学琴了。从此以后明宫遗留的传世历代古琴再没有人想去弹它了，留在宫中竟成为古董陈设观赏品而已。

到雍正皇帝时期开始重视宫中的藏琴，在雍正朝《内务府造办处杂活作活计档》中记录着对古琴的集中、转移、定级、分等、收拾、整理等项工作，并画鼓琴于其行乐图中，其风雅如此。其后乾隆皇帝继续做了雍正未尽之事，

亦见档案之中。此外乾隆皇帝还在琴上作了各种题咏，亦画鼓琴于行乐图中，说明乾隆皇帝赏玩古琴似比乃父更胜一筹。在清代诸多的宗室皇子中，早期的裕亲王收藏过唐"春雷"琴，中期的成亲王收藏过明琴"蕉林听雨"，直至清代末期才有一些亲王贝勒收藏过少量的琴，他们才开始弹琴。在满族中嗜琴之士也是少数。到清末慈禧太后本家族人满名佛尼音布、汉名叶潜，才是一位琴坛名家，他藏有唐宋古琴，故宫博物院藏的唐"九霄环佩"琴就在他手中出名的，宋"昆山玉"琴今尚藏于民间。清代时期，虽然皇帝不能弹琴，然而对古琴尚能重视，作为古董，这点与元代同。所以在民间，古琴依然如雨后春笋般发展。据《琴史初编》所载，吴越、扬州、杭州、四川等地都有名琴家弹琴，学琴者甚众，遂形成琴派，著名琴谱有《诚一堂琴谱》《大还阁琴谱》《五知斋琴谱》《自远堂琴谱》《天闻阁琴谱》《琴学入门》等等。由于明代造琴极多，未遭战事毁坏，仍多留在民间，是以清代斫琴家十分稀少。七弦琴虽然在少数民族统治下，统治者不去提倡，而民间却依然在流传，虽然如缕依旧不绝，因为它是历史悠久深深植根于中华国土之中的民族文化，所以中华儿女往往会自发地去研究继承。

清宫造办处的档案，今天已经移存于中国第一历史档案馆，其中杂活作活计档中记录有关这批明遗琴的活动情况，现摘要抄录以供研讨：

①雍正四年二月二十四日，总管太监王朝卿、刘国兴、安太交来丰泽园琴二张、瀛台琴二张、掌仪司琴一张、懋勤殿琴六张、敬事房琴十三张、宁寿宫琴五张、景福宫琴一张、乾清宫琴四张、御书房琴四张、古董房琴二张、自鸣钟处琴一张、所内琴一张、寿皇殿琴一张、观德殿琴一张、畅春园琴二十八张、永安宫琴十张、毓庆宫琴二张、西花园琴八张、静明园琴三张；府内太监沧州交来琴十八张，随蓝布套，黄布挖单。造办处收贮所内琴七张。传旨：着将核对准，于二十六日、二十七日送来呈览，钦此。注：于二月二十九日呈上留公府内琴五张，并造办处收贮琴二

张、永安亭四张，记此。于三月初二日永安亭太监张弼持去琴六张，此记。于三月初九日将琴一百零三张俱对弦准，首领太监程国用持进，交总管安泰讫。

②十月十八日，郎中海望持出出等的琴三张，有等次的琴十八张。传旨：出等的琴着配红漆套箱，有等次的琴着配黑漆退光漆套箱，钦此。

③十九日，据圆明园来帖内称：首领太监夏安持来琴十张，传旨：着换弦，其琴轸足如无，换木足亦可，若不全处，些微收拾。轸上用五色绒。完时定等，写折随琴带来。钦此。

④雍正五年六月四日，圆明园来帖内称：首领太监交来琴十四张，传旨：轸足有不好处，着收拾，钦此。

⑤雍正六年四月初一日，据圆明园来帖内称：太监夏安持来头等大红琴一张、小红琴一张、梅花断纹琴一张、牛毛断纹琴一张，说首领太监苏福盛传旨：琴上着换玉足轸，并添穗子，琴垫着会弹琴的人收拾妥贴呈览，钦此。

⑥十六日，据圆明园太监夏安交来琴四十张，有套，二张无套。传旨：此琴着会弹琴人选好琴六张，头等一二三四五六弦数，钦此。

另在上述第二条档案记述之下又记了如下内容："据漆工柏唐阿、六达子来说：做漆套箱二十一张现存库。于乾隆六年六月二十三日，司库白世秀将出等琴三张，配得红漆匣三件，有等次的琴十八张，各配得黑退光漆匣、各随锦囊，俱刻款持进，交太监高玉呈进讫。"

从上述雍正四年二月二十四日档案记述来看，当日是将宫中、景山、中南海、畅春园、静明园五处的琴分别集中共一百二十张，减去注明于二月二十九日、三月初二日留下持去的十七张琴，三月初九日将琴一百零三张送往何处记述不明，但从其以后的来帖都出自圆明园，显然这一百零三张琴是放在圆明园了，其后也未见将琴取出的记录，可见这批古琴是一直放在圆明园各处作为陈设的。

到清代晚期，政治腐败、国事日非，使中国竟成为一个落后的弱国，遂不断遭到帝国主义列强的侵略和蹂躏，

最后在咸丰十年（1860年）英法联军进攻北京，北京陷落。于是英法联军将经过雍正乾隆皇帝苦心经营的一座圆明园中所藏的无数珍宝劫掠一空之后，竟然纵火焚烧了之，真是洋人一炬，可怜焦土！雍正帝放进去的一百零三张明朝所遗之历代古琴同罹浩劫，化为乌有！幸而当年雍正皇帝还给宫中留下了十几张琴。

清帝逊位后，人民在近百年的努力中已将中国社会不断地推向崭新的领域，沿着更高境界进行建设。相信有数千年传统的七弦琴也正在热爱祖国悠久文化的人民中继承发展。

四、对传世古琴断代的初步体会

传世古琴的数量较多，且自唐到明清时代跨度也较大，划分其制作年代与识别真伪只要得法也并非难事。有人说看多了就可以识别了，故古语有"见多识广"之说，其实这个说法也不全对，譬如琉璃厂大文物商店均有若干学徒，都在同样的工作生活中一起听掌柜讲业务，而真正学成的只有少数。博物馆的情况也是如此，所见的东西一样，而所识的深与广却是不一样的。可见"见多识广"的前提是要认真去见，还要认真去思，才能见多识广。认识一切事物的途径是比较，显然这就不是光见多就可以解决了的，所以说"没有比较就没有鉴别"是颠扑不破的真理。然而在运用这个法则的时候也可能发生错误，那就是赖以进行比较的典型器是否选对了，如果选错了，于是结论也就跟着错了。试举识别传世古琴为例：当年东琉璃厂的蕉叶山房，是北京唯一出售古琴的文物店，主人张莲舫先生为古琴世家子，其父是十一弦馆主人张瑞珊先生，是早期北京琴坛名家之一，是《老残游记》作者、金石家刘铁云先生之琴师。莲舫承继父业，继续开店售琴。据称当时清末某部的彭湘峰以藏有唐李勉所制之"韵磬"琴闻名当世，其后彭某携琴归湖南故里，一日山洪暴发庐舍为墟，"韵磬"竟散作数片，被莲舫以微值得之，每至管平湖夫子斋中话及此琴，必意气扬扬颇具志得意满之概，后出售到上

海。1990年第二次成都古琴打谱会上，琴家戴晓莲女士出该"韵磬"琴照相赠，见其为仲尼式琴头之月琴与伪刻铭文，知其为明人之伪作，但曾经《琴学丛书》著录，尚有一定价值，故后来建议香江砚琴斋主人收藏之。莲舫对传世古琴的断代如此，此见多不能识广，其第一失也。其次，彼常于平湖夫子斋中多次话及曾用大明银珠漆一红琴之事，其已故次子擅长髹漆术，更知十一弦馆所制轸足与众不同的特点。1987年余赴东北访琴，在沈阳辽宁省博物馆得见一张伏羲式"九霄环佩"琴，其题名及"清和"大印与上海吴金祥先生得自沈迈士旧藏之"至德丙申"款唐琴特点完全相同，知为唐器，只未见腹款，而腹中为方块百衲纹，琴面为银珠所漆，轸足为十一弦馆所制者。更有新制随形黑漆匣，盖内御题竟有别字，匣面刻"宋斫九霄环佩"等字，在琴项大弦一旁之侧面边际新刻隶体"响泉韵磬"四字并刻白文小印篆"几暇临池"四字。琴上御题未见有置此边侧不显眼的次要位置者，知为蕉叶山房所伪作。何以将唐琴定为宋物，百思不得其解，后来偶然听说蕉叶山房曾藏有一张"大圣遗音"琴，形制铭、漆色断纹与俪松居所藏之琴完全相同，唯声音欠佳，腹刻宋款，盖宋仿唐大圣遗音也。听说这张宋仿唐琴竟以八十元微值出售，得知张莲舫有此宋仿唐琴，方悟蕉叶山房将唐琴装扮成宋琴出售的原因，是他手中掌握着宋仿唐琴的典型器，两者相似，故唐斫竟成宋制了。可见标准器定错了，真品就会被定为伪品，显然比较鉴别的前题是要掌握真品作为标准器，不然结论肯定是错的。此张莲舫先生之第二失也。

以上张莲舫先生之失是认识上的局限性问题，这在给文物断代、定真伪方面，几乎他人也是很难完全避免的，其原因有二，一个是主观水平的限制，即对本门业务还不够全面精通；一个是客观条件的限制，即在本门业务中尚未被发现过，为众所不知的问题。譬如余当年在山东文管会见到的一张唐琴，对主人介绍无异辞，并向某博物馆推荐陈列出来，每次看见皆不胜欣赏。若干年后因友人编书

相约同观，斯时方讶其为宋仿唐北宋官琴之作，观其背面铭刻系元以后同时所镌刻，此乃当时尚未识北宋官琴，更不了解铭刻的书体与刻工的时代性，故有此误。其次，对于传世的某些古琴已剖过腹，但由于漆色如旧通天纹完好，而往往错误地认为未曾剖过，以致后刻伪款过后才被察觉，无疑这都是主观水平限制的结果，是以在对传世古琴作断代分期工作时由于水平所限是很难不发生偏差的。

故宫博物院的藏琴，除在后期入藏者外，包括观赏琴在内，二十世纪五十年代是由余同顾铁符先生一同鉴定划级的，到二十世纪八十年代我由陈列部第一线退出来到研究室，因故宫有这批古琴却无人研究，我才本着老院长吴仲超同志的遗教："从故宫工作出发，去搞没有人搞的东西。"于是开始着手写议论古琴的研究文章，提出了一些关于传世古琴的分期断代与具有鉴定性的短文，发表之后既听到社会上的肯定意见，也听到古琴界的否定意见，自知水平有限、知识浅薄、错误难免。然而古琴是文物也是古董，采取鉴定文物的方法，即以标准器比较的方法，就今日所见的传世古琴中分出"官琴"与商品琴，"官琴"与"野斫"，再从各时代的风格特点、制作工艺变化入手来划分其时代与真伪，在目前科学界尚未发明现代化的文物鉴定方法之前，这个方法似乎是可供琴家参考使用的，且这次编书对院藏之琴一一按上述方法重新审定其时代先后，编排次序亦经反复推敲力求减少差误，加以此次还选出二十张藏琴拍制了 CT 平扫图像，为研究这批古琴的断代提供了较为可靠的新资料。但也不敢绝对肯定不会发生差误，因为认识总是相对的，有局限性的。

五、关于古琴的收藏与保养

文物的品种万千，但就其质地而论，不外乎是有机物质和无机物质两种，对于这两类物质制成的文物，无论是收藏于地面上的平房、楼房之中，还是置于地下仓库之内，都应该因其质地不同而采取不同的保护方法。有机质地之物，既须防止受潮霉变，亦须避免燥热烘干，故清宫有

缎库、古董房、南库及各专库之设，以不同质地的箱匣收贮之。乐器中的古琴不同于玉笛铜箫、金钟玉磬，一经包裹收藏，历经十年八载不会发生变化。琴乃漆木制成，在北方，夏季古琴经受潮湿可令声音变闷，使清越洪亮之音受到影响，甚者出现面漆脱落，虽然可以重新髹漆，但恢复元音、原貌须经历相当年久；冬季古琴经受干燥暖气烘烤，或高楼风干皆会造成琴面破裂，合缝开张，使声音变化，元音俱失。例如其一，昔日某藏家曾将一张琴名为"广陵涛"的琴送来鉴定，此琴品貌声音俱系上品，但数年后奉命参加其寓所清理遗物工作，"广陵涛"琴从封闭的东厢房取出，已是漆皮脱落面目全非，竟成为一件废品，此古琴不宜受潮之证一也。其二，某琴家所藏唐琴，享名北京琴坛已有百年，原藏平房之中，经琴家的关爱，数十年未曾发生变化，无丝毫损坏，后来随主人迁居藏于高楼之中约四五年，竟琴面合缝干裂、开张，因此证明古琴更不宜受热，故燥热之季节须适当增加潮度避免干裂。其三，古琴这种弦乐器终日弹抚则将磨损漆面产生敔音，而久不按弹声音也会发生变化。如五十年前有的琴家所藏之唐宋古琴皆北京琴坛名器，曾时常与当时琴人用这些名琴弹奏，虽然声音各异，但音色均极佳妙。后来这些名琴被置之高阁，五十年后这批名琴重整弦索，抚之其松灵透润之音俱逝。昔日前琴人曹君得明制伏羲式琴，因其音哑遂以原值出让，被琴会之人所得，按弹十数日，竟发出玎琮嘹亮之音，令人为之侧目。可见良材既不宜终日按弹，也不宜久经弃置使声音发生变化，甚至失音。有些古琴经历几百年虽然保存妥善不受潮热，但因经年已久，木胎伸缩，漆质老化，断纹多出剑锋。所以断纹愈古其下漆木的空间亦愈扩展，甚者断纹松动漆皮脱落，故藏琴家对于琴上一些漆皮之伤，皆及时保养修补以避免扩大。清宫旧藏之琴在逊帝未出宫前无人重视，随意弃置故多损毁，而民间爱琴之士对待所藏之琴时时经心，置于面南北房之内，琴囊箱匣设备齐全，春夏出囊，秋冬入箱，平时多宜倒挂上墙，及时拂拭勿令染尘，定时按弹避免声音发生变化。对这些

藏琴之法，国家的文物收藏部门皆宜吸取。爱琴之士珍重古斫的同时，对于希声的新制亦须加以珍重。古人珍重时琴，故有古琴流传至今。

古琴得名或者名家制作、被名琴家所藏用，皆因其具有希声。一旦归国家收藏，一件著名乐器成为观赏珍品，声音皆在想象之中，所以古琴界有琴不宜进入博物馆之论，倘如国家规定收藏的名琴能允许于春秋佳日由一流古琴名家到院中作公开演奏，防止古琴声音变化，弥补了古琴陈列的不足，检验了收藏情况，同时宣扬了无形文化遗产"保护为主、合理利用"的文物政策，对待国家所藏古琴是再相宜不过。当然，传世不多的唐宋元明历代古琴，今天也属于民族文化遗产，自应在国家保护之列。因此，收在博物馆中什袭珍藏，永不鼓动，也是完全正确，未可厚非的。

故宫博物院这批藏琴，虽数量不多但质量较高，有唐宋元时期具有典型特点的重器，这是构成故宫古琴的独特之点。今天再集中这样一批唐宋古琴无疑是不容易了。想要把各时代所缺补充齐全，事实是做不到的。希望保管古琴之士及时呵护之，勿与无机质文物同等对待，俾传世有限的名琴永不腐朽。

绢本设色 纵 147.2 厘米　横 51.3 厘米

《听琴图》见《石渠宝笈三编》著录，为宋徽宗赵佶传世不多遗存中的至精之品，其创作时间大约在他四十岁前后。画面背景是数竿修竹和凌霄盛开其上的青松。松下三个石墩坐具，及灵璧石上鼎式花盆，盆中栽香花一株，略加布置，宫内苑可供听琴的一角显露出来。松下坐墩之前，放带音箱的琴桌一张，置古琴于其上，弹琴人右方后侧设高腿黑漆香几一具，炉中焚香，随风飘扬。一道人穿香色道服，端坐石墩抚琴，作勾挑、吟猱状。前右方一人穿绿袍仰望，作侧耳倾听状；前左方穿红袍者头微俯下视，作凝神静听状。一穿蓝衫童子，叉手挺立于绿衣人之侧，直视道人鼓琴动态。从人物形态上可以看出，道人弹琴十分认真，听琴人十分专注。画上有蔡京奉命题的诗一首，诗意是颂扬皇帝陛下这件绘形绘声的艺术杰作。

此图表现古人对七弦琴的演奏与欣赏，构图简净，着色清丽，气韵生动，潇洒出尘，在听琴题材的人物画中堪称绝唱。

一　古琴

1. "九霄环佩"琴 伏羲式

唐代 / 通长 124 厘米　隐间 114.2 厘米　额宽
21.8 厘米

肩宽 21.2 厘米　尾宽 15.4 厘米　厚 5.8 厘米

　　"九霄环佩"琴，伏羲式，为盛唐雷氏作
品，琴以梧桐作面，杉木为底，通体紫漆，面
底多处大块朱漆补糅，发小蛇腹断纹，纯鹿角
灰胎，伤处可见灰胎下以葛布为底。龙池凤
沼均作扁圆形，贴格为一条桐木薄片接口于
池沼右侧当中。腹内纳音隆起，当池沼处复
凹下呈圆底长沟状，深度约一厘米，宽二点五
厘米，通贯于纳音的始终。蚌徽，红木轸，白
玉足镂刻精美，紫檀岳尾。护轸亦为紫檀木
所作，可能是清代广陵派琴家徐祺所装。

　　此器形制极为古朴浑厚，项与腰两处内
收部位上下边做圆，使楞角线向内移动，缩小
与其上下端侧面厚度的差距，今虽经补平而
两端痕迹犹在。琴头则于额下向上减薄斜出，
由此收到匀称的视觉效果。

　　琴背铭刻，龙池上方篆书"九霄环佩"
琴名，下方篆文"包含"大印一方。池右行书"泠
然希太古。诗梦斋珍藏"及"诗梦斋印"一方。

池左行书"超迹苍霄，逍遥太极。庭坚"。琴
足上方行书"霭霭春风细，琅琅环佩音。垂
帘新燕语，苍海老龙吟。苏轼记"。凤沼上方
"三唐琴榭"篆书长方印一方，下方"楚园藏
琴"印一方。这些铭刻中"九霄环佩"及"包
含"印断纹已通，显系同时旧刻。苏、黄题
跋字在断纹上，与诗梦斋刻铭同是晚近所为。
腹内左侧有寸许楷书刻款"开元癸丑三年斫"，
开元三年是"乙卯"，而"癸丑"是开元元年，
且"癸丑三年"语序不伦，故系历史上剖腹
所作伪款。

　　此琴可追溯的藏家为晚清民初叶赫那
拉·佛尼音布，字荷汀，后易姓叶名潜字鹤伏，
号诗梦斋。其后递藏有"红豆馆主"爱新觉
罗·溥侗，有刘世珩即琴上铭刻"楚园藏琴"、
"三唐琴榭"者，再传子之泗，最后归藏刘晦之。
1952 年，由当时文化部文物局郑振铎局长主
持，从刘氏购得入藏故宫博物院至今。

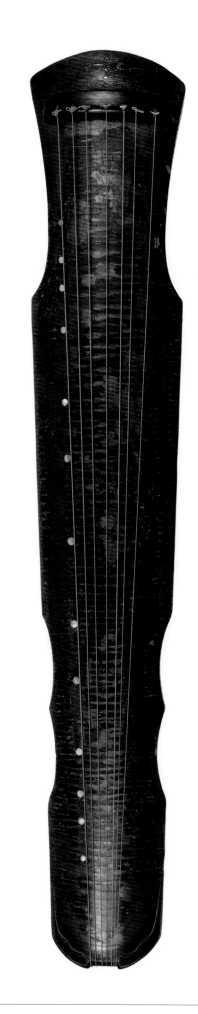

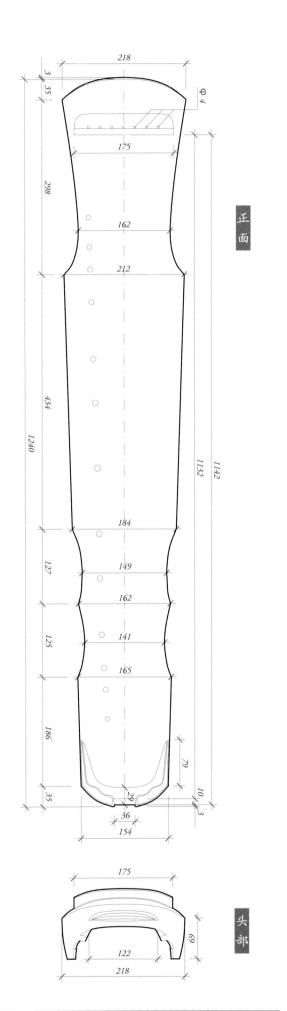

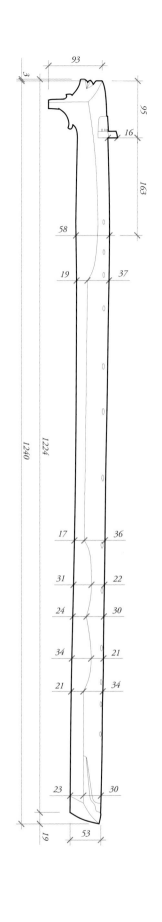

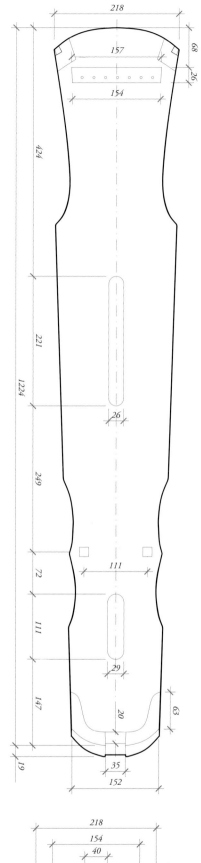

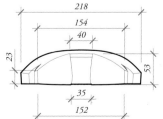

「九霄环佩」琴线图

单位/毫米

正面

侧面

背面

头部

尾部

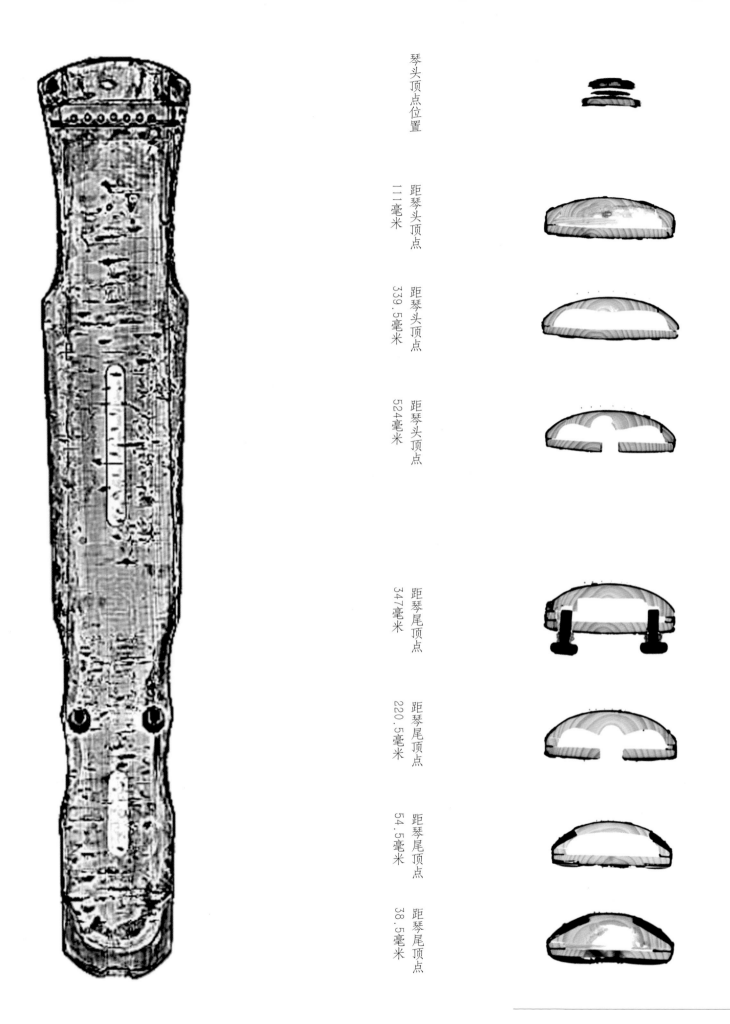

琴头顶点位置

距琴头顶点

一一一毫米

距琴头顶点

339.5毫米

距琴头顶点

524毫米

距琴尾顶点

347毫米

距琴尾顶点

220.5毫米

距琴尾顶点

54.5毫米

距琴尾顶点

38.5毫米

2."大圣遗音"琴 神农式

<u>唐代／通长 120.3 厘米 隐间 111 厘米 额宽</u>
<u>19.2 厘米</u>
<u>肩宽 20.2 厘米 尾宽 13.5 厘米 厚 5.2 厘米</u>

"大圣遗音"琴，神农式，中唐制作。桐木斫，栗壳色漆，局部有零星朱漆后补。纯鹿角灰胎，蛇腹间牛毛断。圆形龙池，长圆凤沼，腹内纳音隆起。金徽玉轸，紫檀岳尾。

此琴各处尺寸均较盛唐"九霄环佩"为小，圆厚亦不及。然项腰之上下依然保留做圆手法，额下也是坡上减薄，具宽厚温润气质。

琴背铭刻，龙池上方刻行草"大圣遗音"琴名，下方篆文"包含"大印一方。池之两旁刻隶书铭文："巨壑迎秋，寒江印月。万籁悠悠，孤桐飒裂。"均为贴金漆。所有铭刻安排协调妥当，是同时一手所为，故而俱系旧刻无疑。腹内圆龙池之四角朱漆隶书款"至德丙申"。天宝十四年 (755) 三镇节度使安禄山叛乱，明皇奔蜀。太子李亨即皇帝位于灵武，改元至德，是为丙申年。北宋陈旸《乐书》云："唐明皇返蜀，诏雷俨待诏襄阳。"可知此琴系改元时由雷俨负责斫制的宫琴。

"大圣遗音"为清宫旧藏，溥仪被逐出宫后，清室善后委员会入宫点查，于南库墙隅见到此琴，而弦轸俱失，岳山崩缺，又因屋漏，长年滴雨，琴面大部堆积水垢，是以灰白如面漆脱落殆尽之状，结果被登记为"破琴一张"。1947 年，被当时负责古物馆的王世襄先生发现，后征得故宫博物院院长马衡先生同意，于 1949 年请古琴家管平湖先生为之修理，退去琴面水锈，按原来规格重配紫檀岳山，王先生于古董店购得的青玉轸足也得以配上。今修复已逾半个世纪，仍完好无损，灿烂生辉。

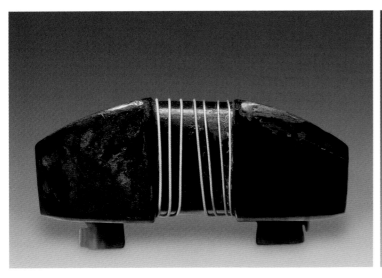

反面

側面

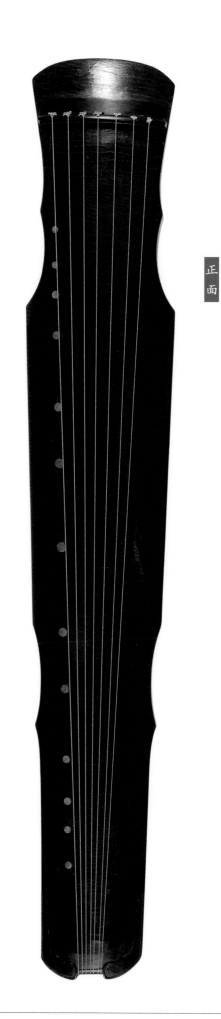

正面

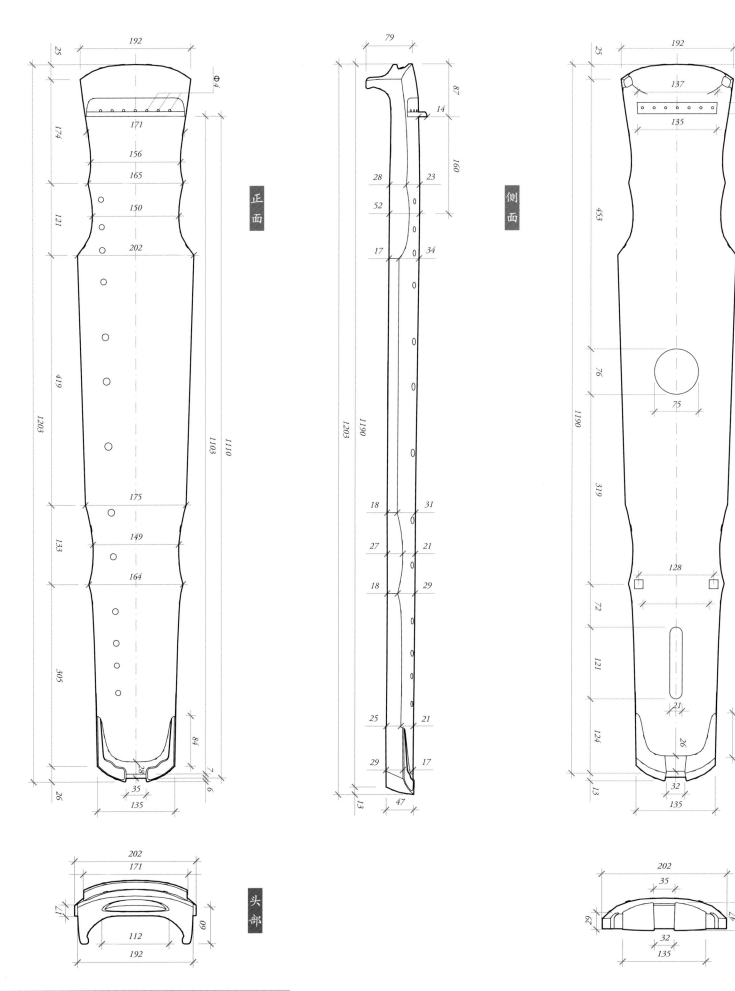

正面

侧面

背面

头部

尾部

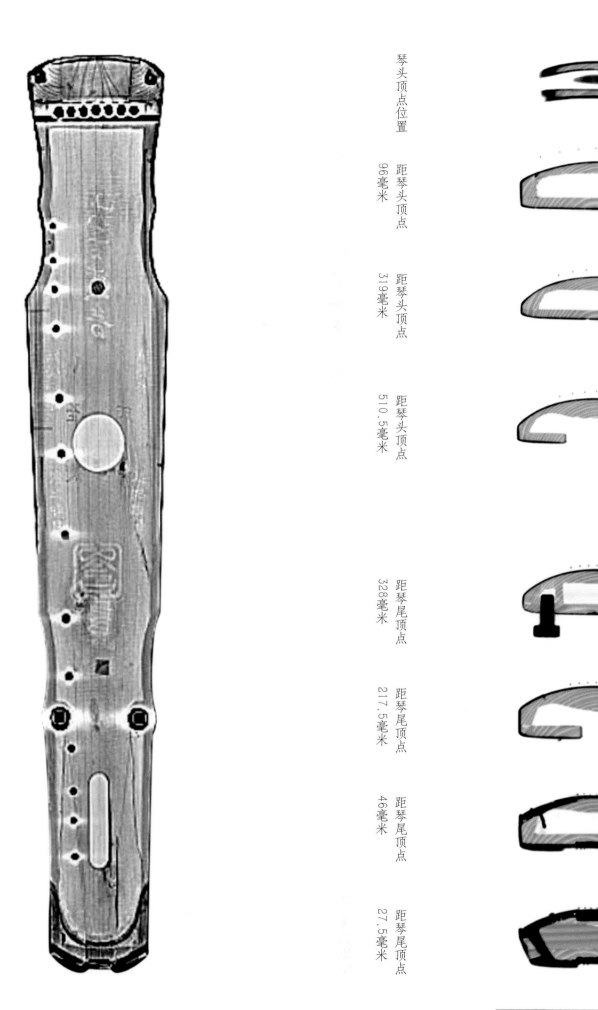

琴头顶点位置

距琴头顶点
96毫米

距琴头顶点
319毫米

距琴头顶点
510.5毫米

距琴尾顶点
328毫米

距琴尾顶点
217.5毫米

距琴尾顶点
46毫米

距琴尾顶点
27.5毫米

大雪遂言

巨壁迎炑

萬籟悠〻

寒釭印月

派桐颯烈

3."玉玲珑"琴 凤势式

<u>唐代 / 通长 122 厘米 隐间 111.8 厘米 额宽</u>
<u>19 厘米</u>
<u>肩宽 19.6 厘米 尾宽 13.6 厘米 厚 4.8 厘米</u>

"玉玲珑"琴,凤势式,中唐制作。据云"凤势式"系魏扬英所创作,故亦有"魏扬英式"之称。黑漆,纯鹿角灰胎,发不规则小蛇腹断,从伤处与脱落漆片背面可知灰胎下有纹理疏松之黄色葛布作底。桐木斫,蚌徽,紫檀岳尾。红木足粘死,为后修者所为。

全琴气象犹浑厚,项腰有做圆痕迹,额下亦坡出减薄。圆形龙池,扁圆凤沼。腹内纳音当龙池处隆起,当凤沼处于纳音上开一圆沟。这一特点已见于"九霄环佩",此琴只出现于凤沼者盖乃龙池作圆形,自然不宜开沟。有关

这一工艺特点见《东坡杂书·琴事》论雷琴"最不传之妙"所载,系盛唐雷琴所独有。

琴背铭刻,龙池上方刻寸许行书"玉玲珑"琴名。池下曾有大印一方,文字为漆所掩已不可辨,而印痕宛然犹存。腹内未见款字。琴已伤漆多处,殃及题名。复经劣工修补,草率施漆,半途而废。

"玉玲珑"琴原藏于湖南陈维斌氏,系购自杨伯修者,二十世纪五十年代初经郭沫若建议,将琴捐献国家,由当时文化部文物局接收,后拨交故宫博物院收藏至今。

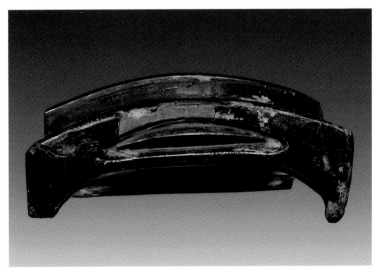

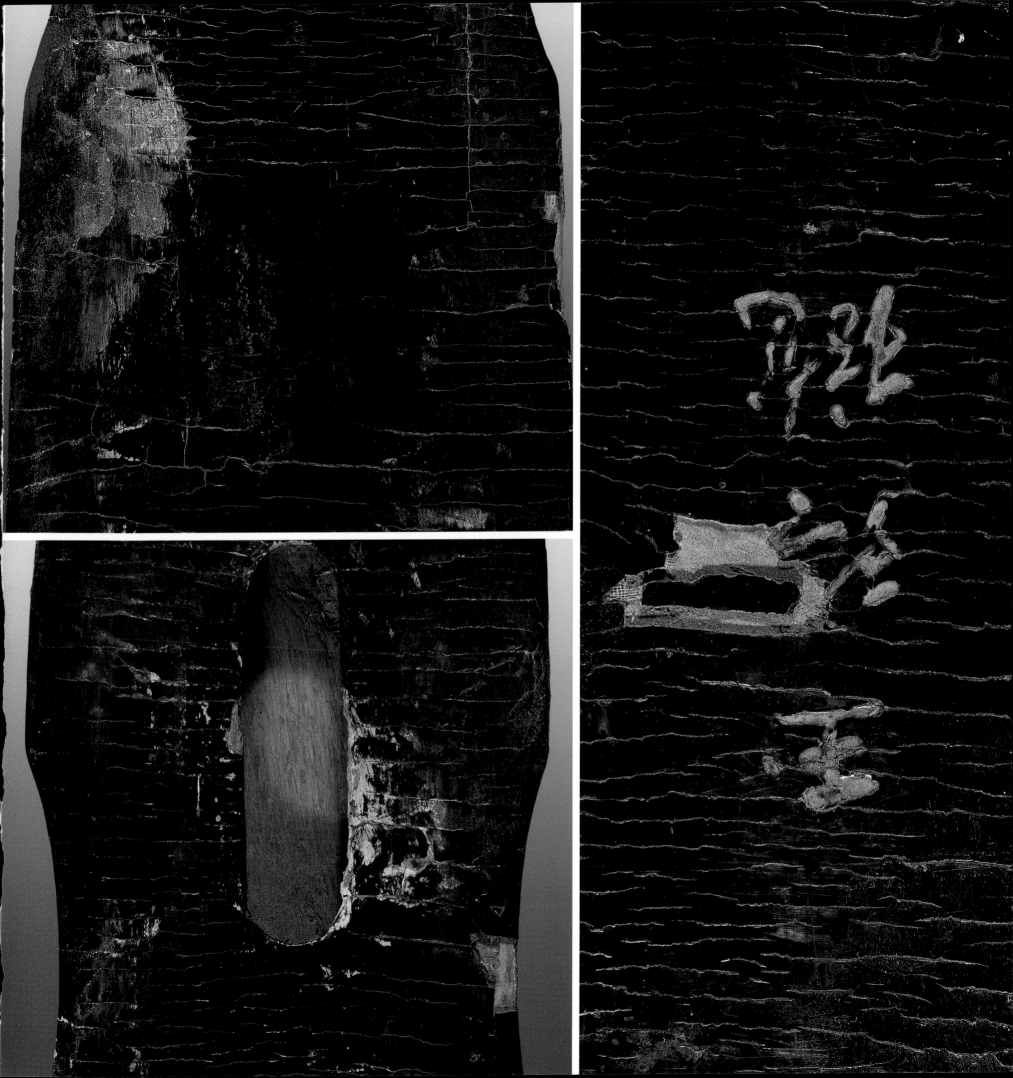

单位/毫米

【王者清越】 琴式线图

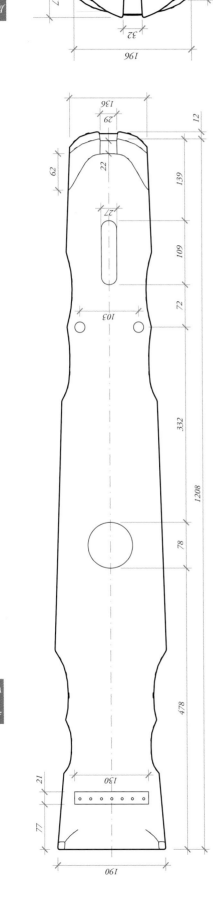

背面

尾部

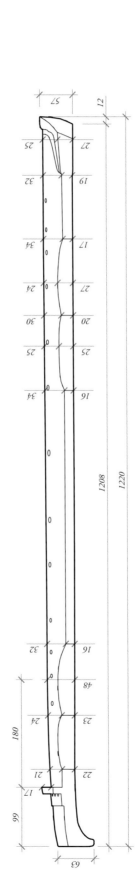

侧面

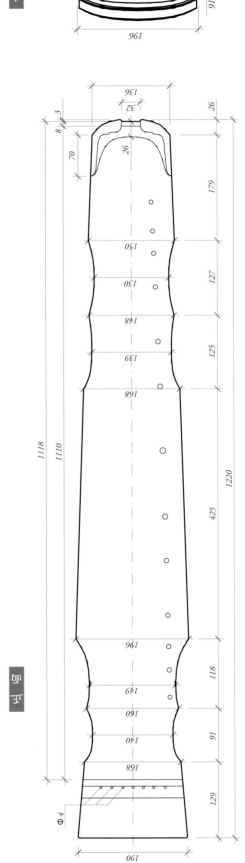

正面

首部

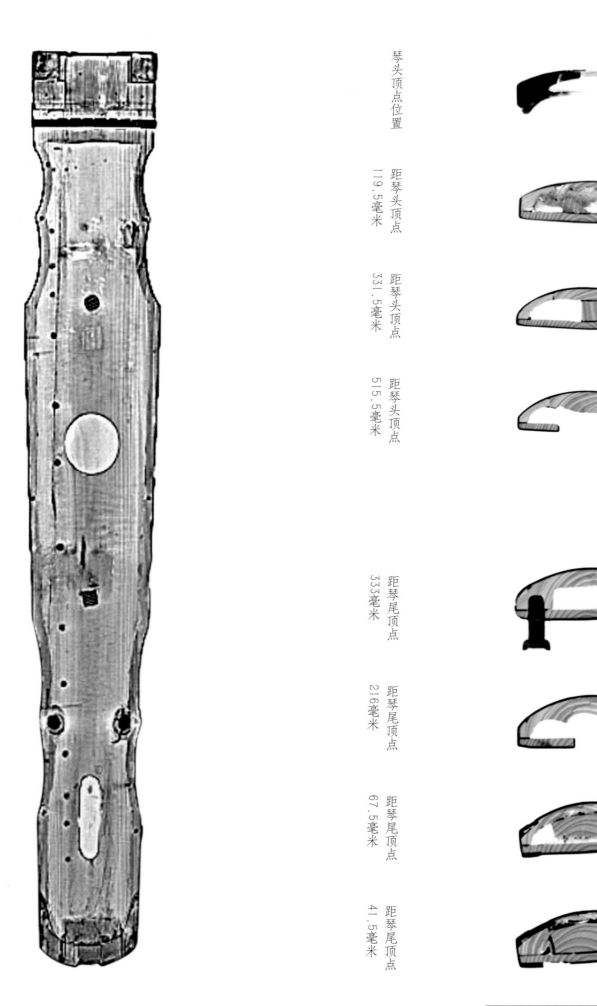

琴头顶点位置

距琴头顶点 119.5毫米

距琴头顶点 331.5毫米

距琴头顶点 515.5毫米

距琴尾顶点 333毫米

距琴尾顶点 216毫米

距琴尾顶点 67.5毫米

距琴尾顶点 41.5毫米

4. "飞泉" 琴 连珠式

唐代 / 通长 121.6 厘米　隐间 111.8 厘米　额宽 18.5 厘米

肩宽 20.1 厘米　尾宽 14.4 厘米　厚 5.5 厘米

"飞泉" 琴 连珠式，晚唐制作。据云 "连珠式" 系隋逸士李疑所创作。杉木斫，糅栗壳色漆，有大块朱漆修补，纯鹿角灰胎，蛇腹间冰纹断。蚌徽，紫檀岳尾，白玉轸润若凝脂，青玉足。

面板弧度较 "九霄环佩" "大圣遗音" 为小，因而项腰内收处厚度已不大，故此琴只将底部两处的楞角做圆，面上略具圆意，应系晚唐雷氏琴。

琴背铭刻，龙池上方刻草书 "飞泉" 琴名，篆书 "贞观二年" 双边方印。龙池下方篆文书 "玉振" 大方印，"金言学士卢讚" 篆书双边长方印。池之两旁刻篆书琴铭："高山玉溜，空谷金声。至人珍玩，哲士亲清。达舒蕴志，穷适幽情。天地中和，万物咸亨。""飞泉" 琴名、"玉振" 印及篆书琴铭俱贴金，断纹已通，为同时旧刻。"贞观二年" 与 "金言学士卢讚" 二印较晚，卢讚系五代与北宋间人。

由 CT 平扫图可以看到，池沼处底板中间均补以方木，从漆面已看不出痕迹，这两处在制作中曾经改动过，原应为方形池沼，后人改为流行的长方形。

1936 年《今虞琴刊·古琴征访录》记载该琴有 "古吴汪崑一重修" 墨书款字，今已不可复见，以是知清代曾经剖腹。此器民国时期为李伯仁所藏，李氏《玄楼弦外录》记载得琴经过。约在 1944 年秋冬之际，"飞泉" 被送至地安门大街某银号作借款抵押，经管平湖先生鉴定，其弟子程子容遂以重金入藏。1945 年夏，"飞泉" 送管平湖先生修理，随后抗战结束，此琴遂辗转于管先生弟子琴斋，解放后程子容方取回。1979 年春夏之交，程子容从家乡平陆写信给当时的国家领导人，愿意捐献，以后经国家文物局批转，由故宫博物院收藏至今。

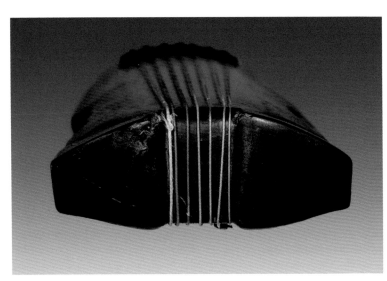

反面

側面

正面

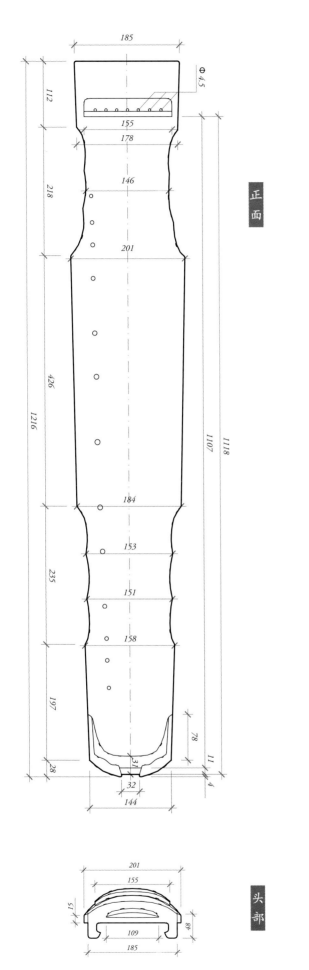

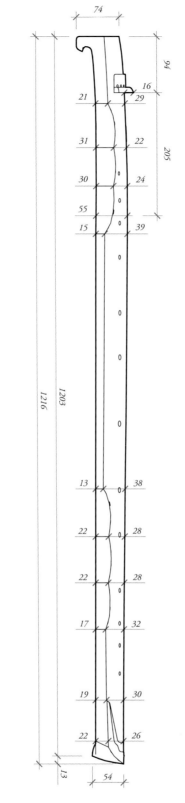

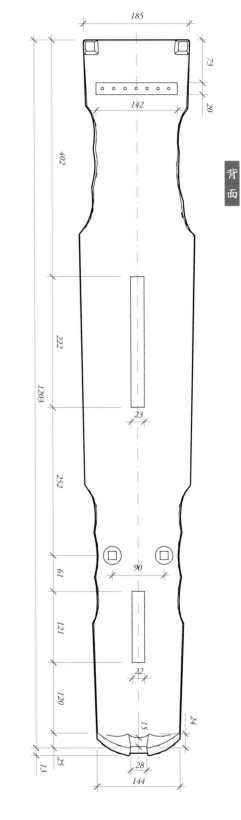

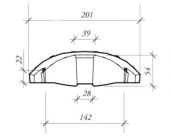

正面

侧面

背面

头部

尾部

『玉玲珑』琴线图　单位／毫米

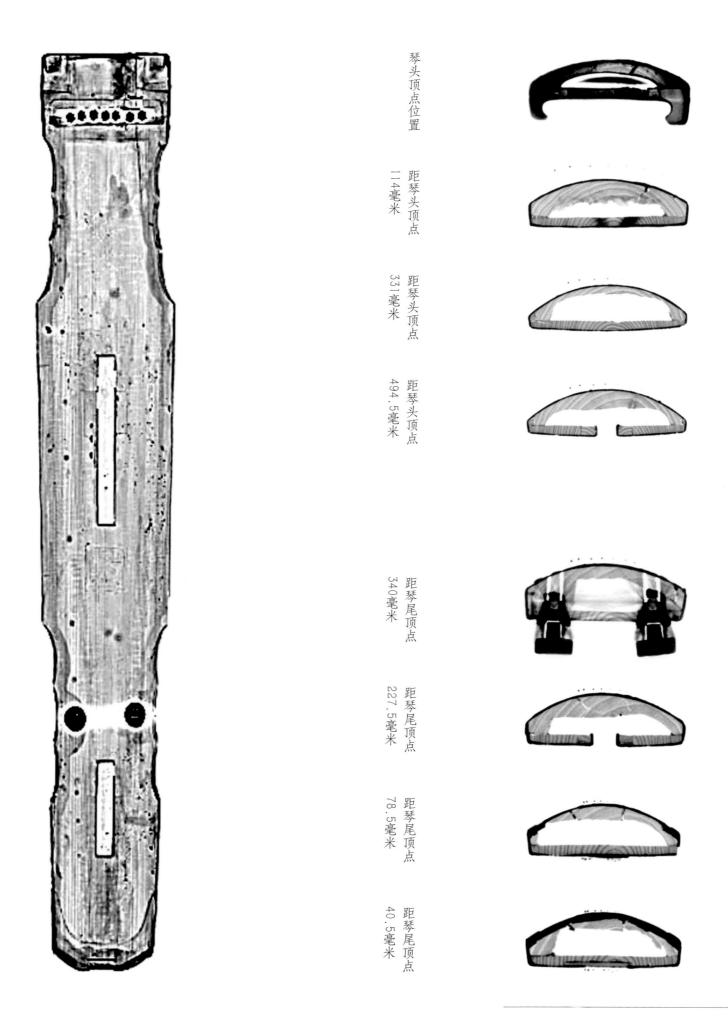

琴头顶点位置

距琴头顶点
114毫米

距琴头顶点
331毫米

距琴头顶点
494.5毫米

距琴尾顶点
340毫米

距琴尾顶点
227.5毫米

距琴尾顶点
78.5毫米

距琴尾顶点
40.5毫米

5. "万壑松"琴 仲尼式

<u>宋代 / 通长 128.6 厘米 隐间 117.1 厘米 额宽</u>
<u>19 厘米</u>

<u>肩宽 20.4 厘米 尾宽 14.9 厘米 厚 5.9 厘米</u>

"万壑松"琴仲尼式,北宋制作。1983 年入藏故宫博物院。桐面梓底,木极朽败,通体黑漆,施珍珠母鹿角灰胎,发蛇腹冰纹间牛毛断,琴头偶有梅花断。长方池沼,金徽后置,青玉轸,白玉足,红木岳尾。凤舌为另作镶嵌。

琴背铭刻,龙池上方刻楷书"万壑松"琴名,池左右填青行草书琴铭:"九德兼全胜磬钟,古香古色更雍容。世间尽有同名器,认

尔当年万壑松。"上署"岁在丙申夏历正月初六日",下款"析津蒙叟题藏,时年七十有七"并填红小印"宋兆芙印""镜涵","天峰居士书镌,时年六十有一"并填红小印"朱""宝成",末题"孔子降生二千五百零七年"。所谓"丙申""孔子降生二千五百零七年"即 1956 年。宋镜涵乃近代天津琴家,朱宝成天津书家。

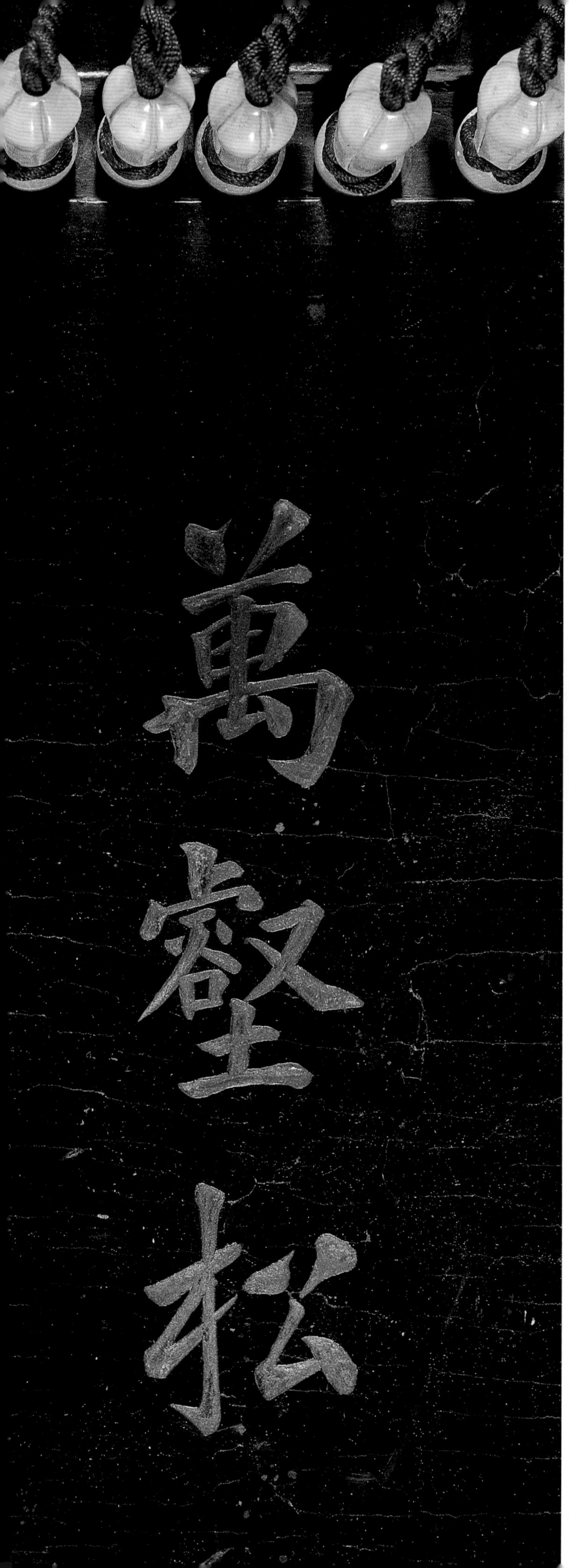

萬聲松

析津紫史題藏明年七十有五
天津居士大鑑時六十有一
孔子降生二千五百零七年

九临重金滕磬鐘古香古色更雍容
松間儘百回名器認面尚年萬聲松
歲在丙申夏曆正月初六日

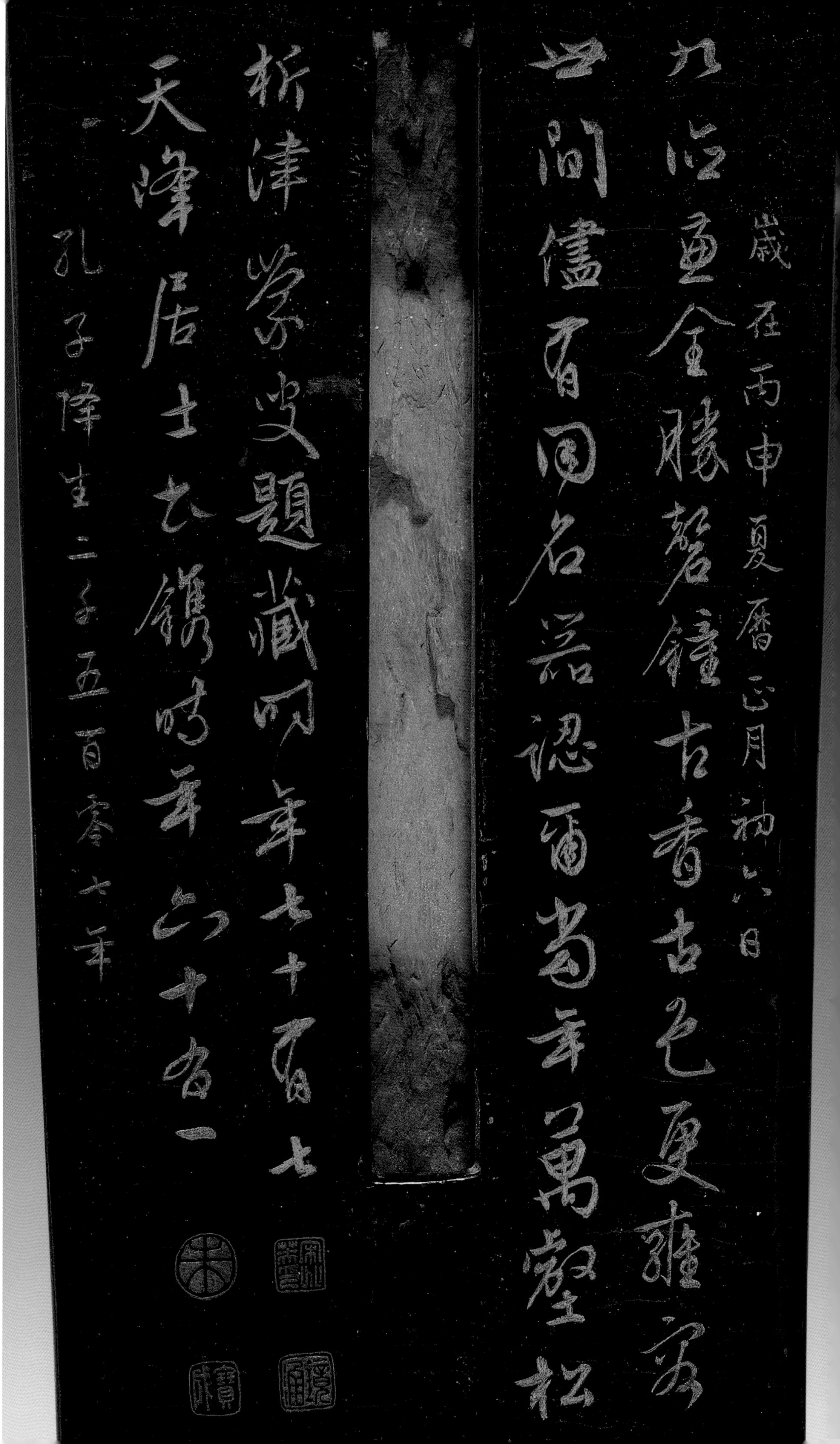

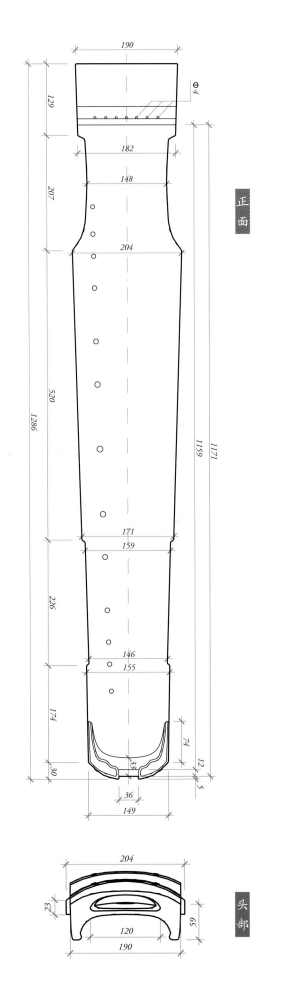

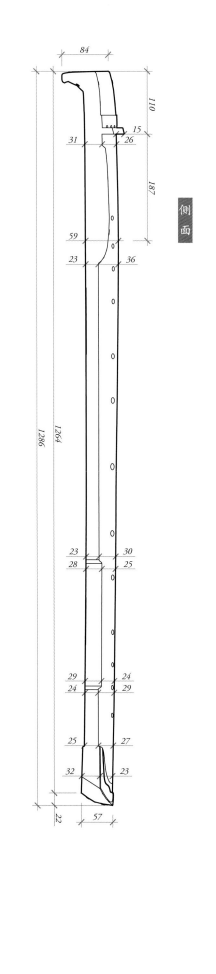

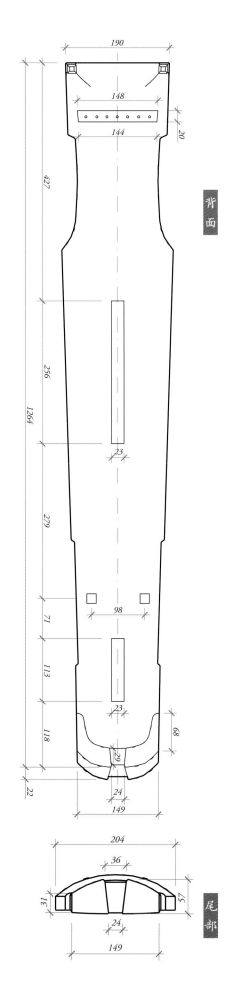

正面

側面

背面

頭部

尾部

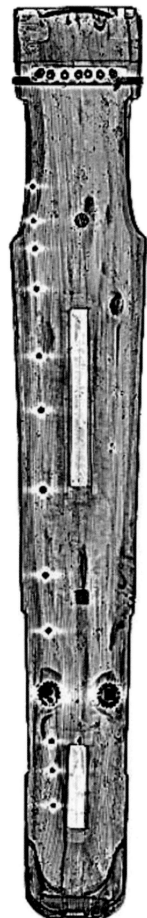

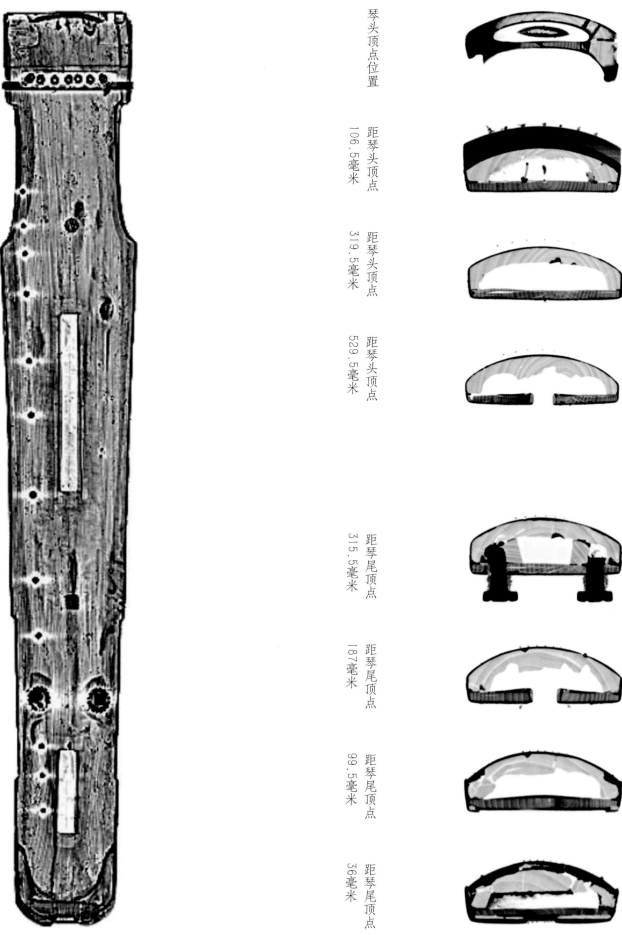

琴头顶点位置

距琴头顶点 106.5毫米

距琴头顶点 319.5毫米

距琴头顶点 529.5毫米

距琴尾顶点 315.5毫米

距琴尾顶点 187毫米

距琴尾顶点 99.5毫米

距琴尾顶点 36毫米

6."金钟"琴 仲尼式

宋代／通长 115.7 厘米 隐间 107.9 厘米 额宽
16.4 厘米

肩宽 19.6 厘米 尾宽 13.6 厘米 厚 4.8 厘米

"金钟"琴，仲尼式，北宋制作。清宫旧藏。通体黑漆，牛毛断，葛布地鹿角灰胎。胶合紧密，挖膛颇浅。长方池沼，凤舌镶嵌。蚌徽余四枚，护轸伤缺。紫檀岳尾，紫檀足粘实无法取下。琴扁薄，底板两边微向上稍有圆意，额底略有减薄。

琴背铭刻，原均贴金，今脱落将尽。龙池上方刻小篆"金钟"琴名。池左右刻隶书琴铭"闲邪纳正，导德宣情"，龙池下方刻草书"宣和殿"，又九叠文"御书之宝"大印。"宣和殿"宋哲宗绍圣二年建成至徽宗宣和元年改名保和殿，计存在二十四年。此琴亦当是这期间所制，应为徽宗时的"官琴"。

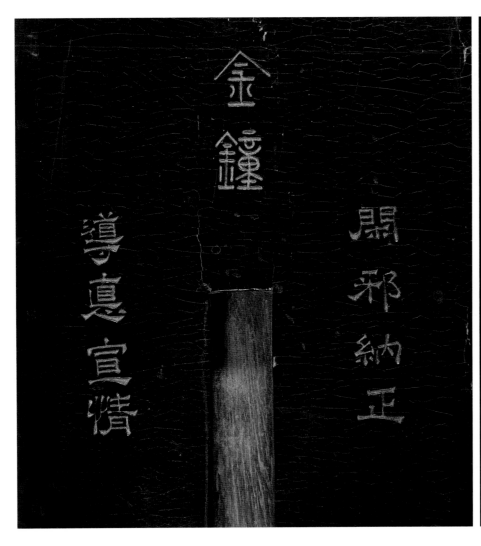

反面

侧面

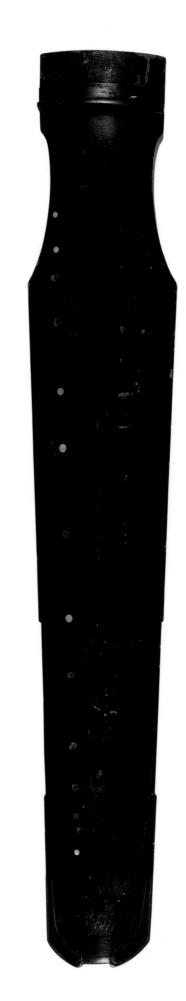

正面

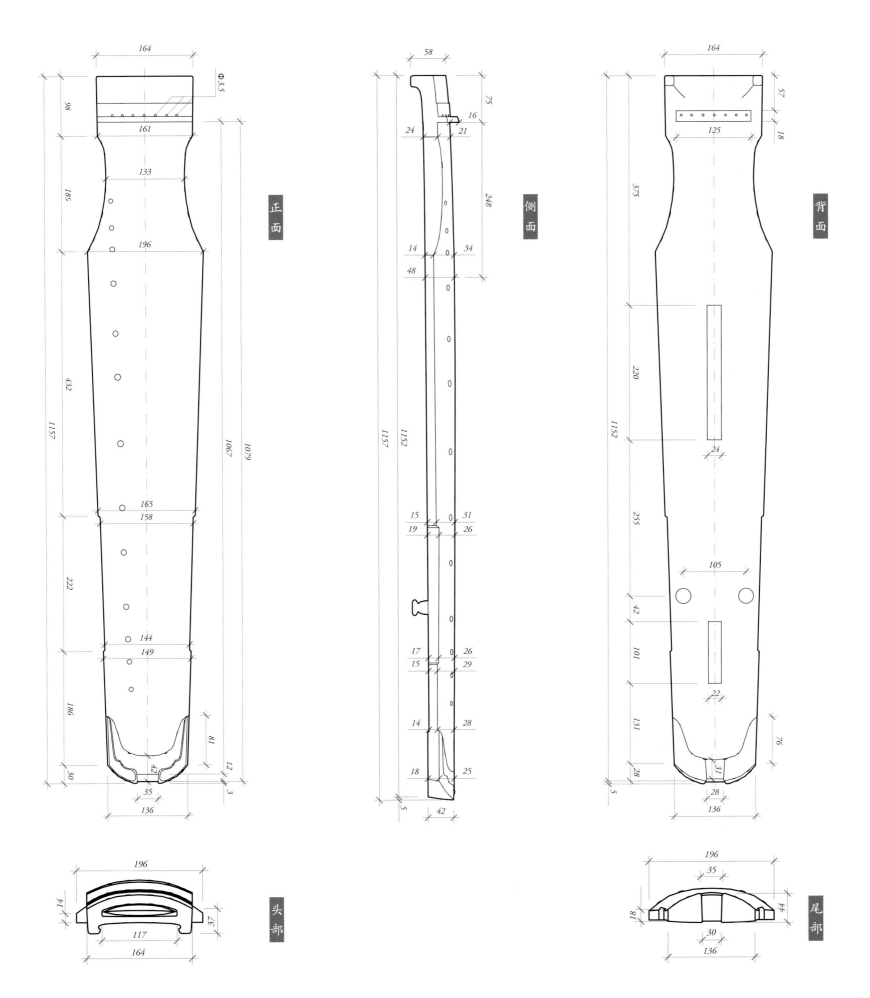

琴头顶点位置

距琴头顶点 88毫米

距琴头顶点 289毫米

距琴头顶点 463毫米

距琴尾顶点 327.5毫米

距琴尾顶点 211.5毫米

距琴尾顶点 98毫米

距琴尾顶点 31毫米

7.“玉壶冰”琴 仲尼式

宋代／通长 119.1 厘米　隐间 110.3 厘米　额宽
17.8 厘米

肩宽 19.3 厘米　尾宽 13.3 厘米　厚 4.8 厘米

　　“玉壶冰”琴，仲尼式，南宋制作。清宫
旧藏。桐木斫，黑漆，鹿角灰胎，蛇腹间流水断。
长方池沼，槽腹基本挖成方形。金徽，白玉足，
檀木轸，檀木岳尾。

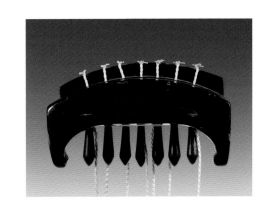

　　琴背铭刻，龙池上方刻小篆“玉壶冰”
琴名。池内左右朱漆径寸楷书“宋绍兴二年，
公路金远制”。按绍兴二年即 1132 年。元周
密《云烟过眼录》云：“金公路，所谓金道者，
绍兴初人，琴薄而轻。”元陶宗仪《南村辍耕
录》亦有记载。

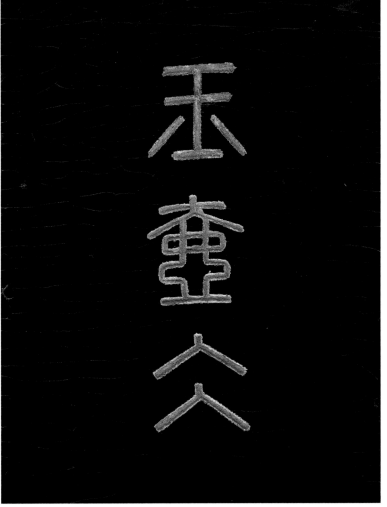

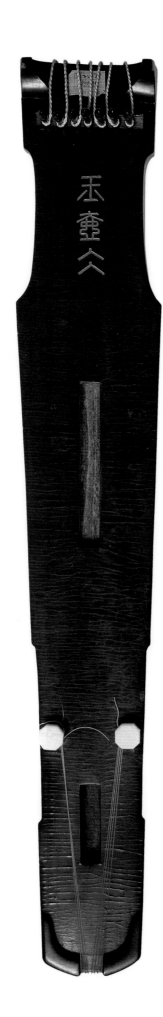

反面

側面

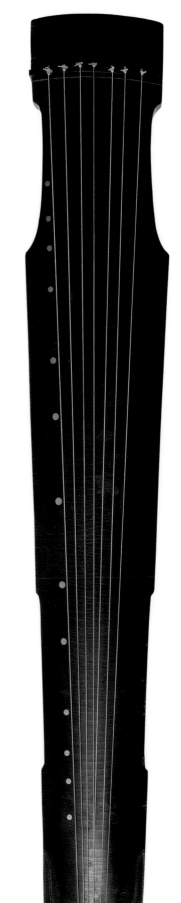

正面

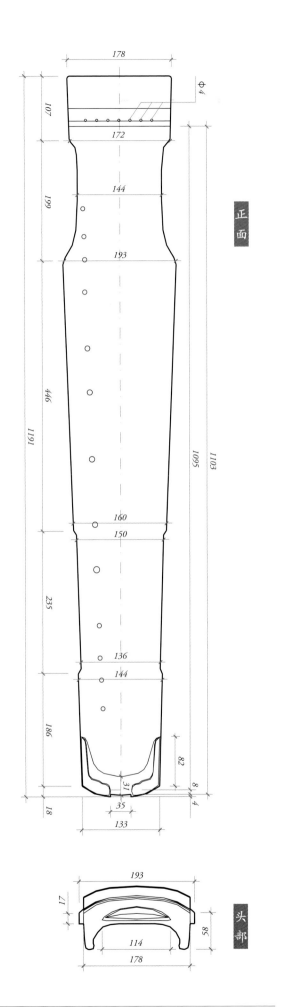

正面

头部

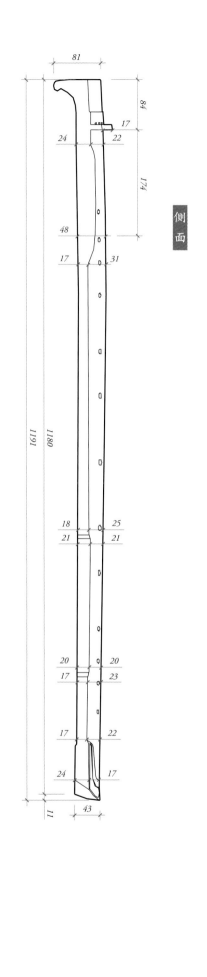

侧面

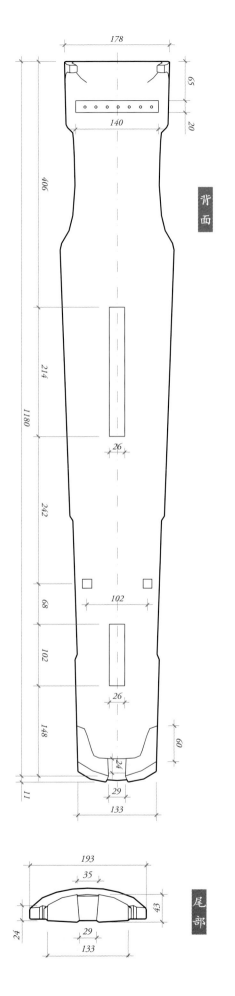

背面

尾部

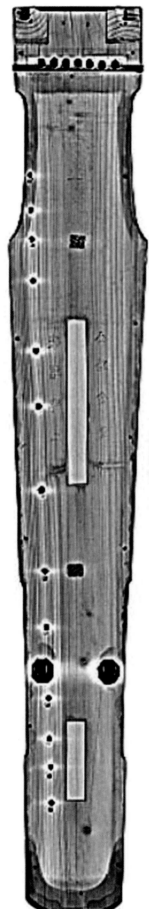

琴头顶点位置

距琴头顶点

112.5毫米

距琴头顶点

305.50毫米

距琴头顶点

482毫米

距琴尾顶点

323.5毫米

距琴尾顶点

216.5毫米

距琴尾顶点

88.5毫米

距琴尾顶点

24毫米

8."玲珑玉"琴 仲尼式变体

<u>宋代 / 通长 118.4 厘米　隐间 110.7 厘米　额宽</u>
<u>17.4 厘米</u>
<u>肩宽 19 厘米　尾宽 13 厘米　厚 5.7 厘米</u>

　　"玲珑玉"琴，仲尼式变体，南宋制作。清宫旧藏。南宋赵希鹄《洞天清录·古琴辨》"古琴惟夫子、列子二样"，可见当时最为人熟知而流行，桐木斫，板厚而开膛小，凤舌镶嵌，池沼形状特异，纳音贴以木片。黑漆，八宝灰胎极薄，牛毛间蛇腹断。金徽，白玉轸足，紫檀岳尾，唯尾托为红木，护轸伤损一。

　　琴背铭刻，龙池上刻行书琴名"玲珑玉"左右刻草书琴铭"峄阳之桐，空桑之材；凤鸣秋月，鹤舞瑶台"，龙池下行书"复古殿"，又九叠文"御书之宝"大印。"复古殿"，绍兴二年以后在建康（南京）所修行宫之一殿，绍兴二十八年于临安（杭州）又有此殿之设。全部铭刻为当时一手而成，俱贴金。

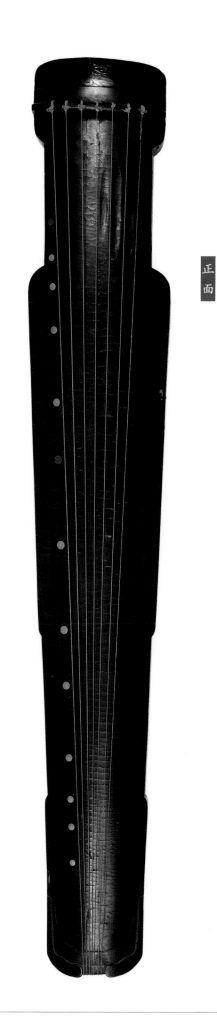

反面

側面

正面

古琴

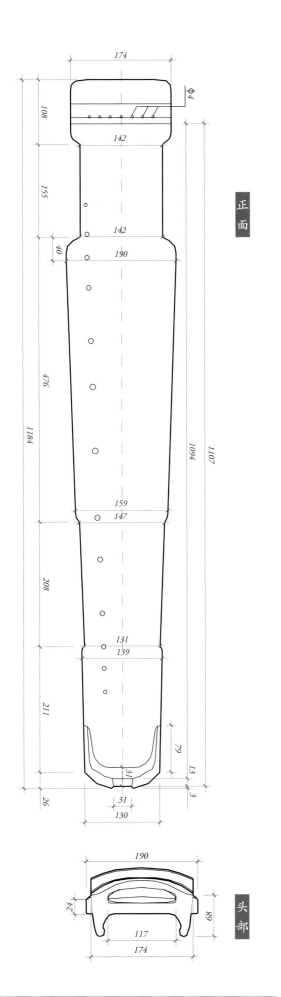

正面

头部

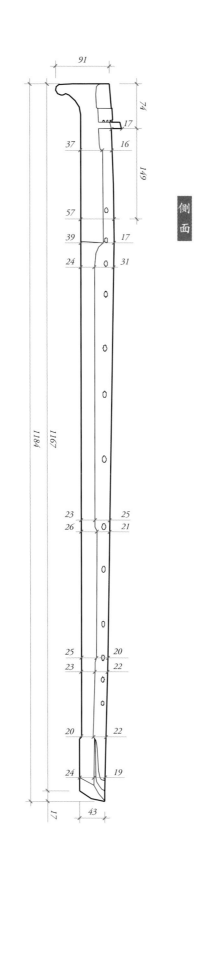

側面

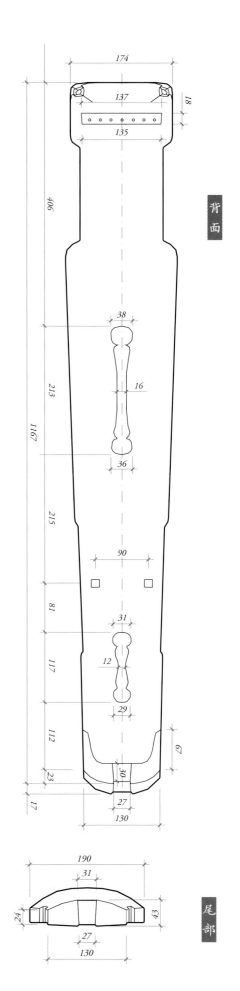

背面

尾部

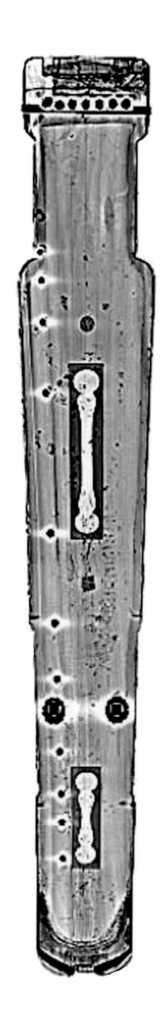

琴头顶点位置

距琴头顶点
87.5毫米

距琴头顶点
275.5毫米

距琴头顶点
555毫米

距琴尾顶点
341毫米

距琴尾顶点
216.5毫米

距琴尾顶点
91毫米

距琴尾顶点
24毫米

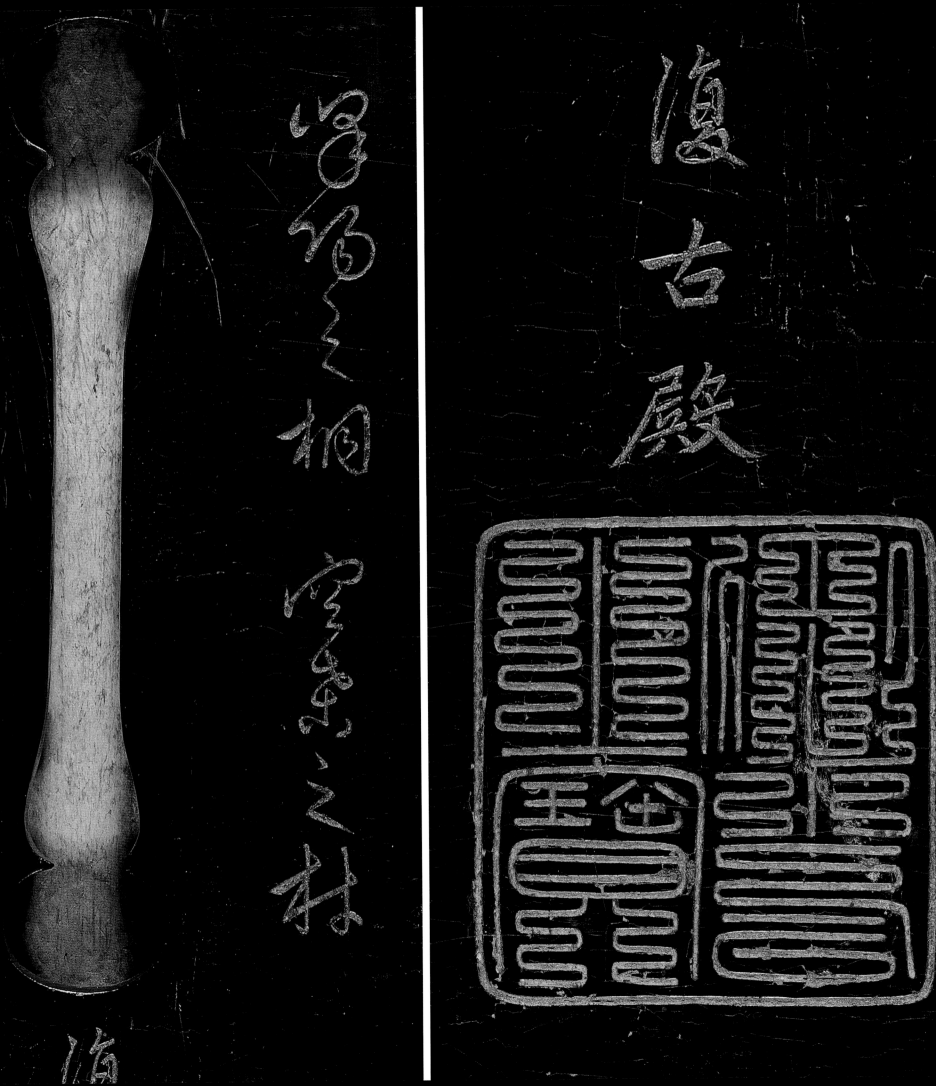

温润之桐

实密之材

復古殿

9. 仲尼式琴

宋代 / 通长 126.1 厘米　隐间 116.1 厘米　额宽 18.2 厘米

肩宽 20.1 厘米　尾宽 14.6 厘米　厚 5.1 厘米

琴为仲尼式，南宋制作。二十世纪六十年代后入藏故宫博物院。桐木斫，黑漆，八宝灰胎，小蛇腹间梅花冰纹断。长方池沼，蚌徽，红木轸足，枣木岳尾。全琴扁平，从头至尾厚度几无变化，极轻盈，边角微有圆意。

琴背铭刻，龙池左右刻小楷："唐贞观二年淳化寺古桐华山道人制，明崇祯六年海泉道人重修。"腹内有模糊不清朱书"大唐贞观"云云。而岳山前有锯纹，想是崇祯六年（1633）有海泉道人者剖腹，惊见此款，是以移出，不知腹款本是伪作。

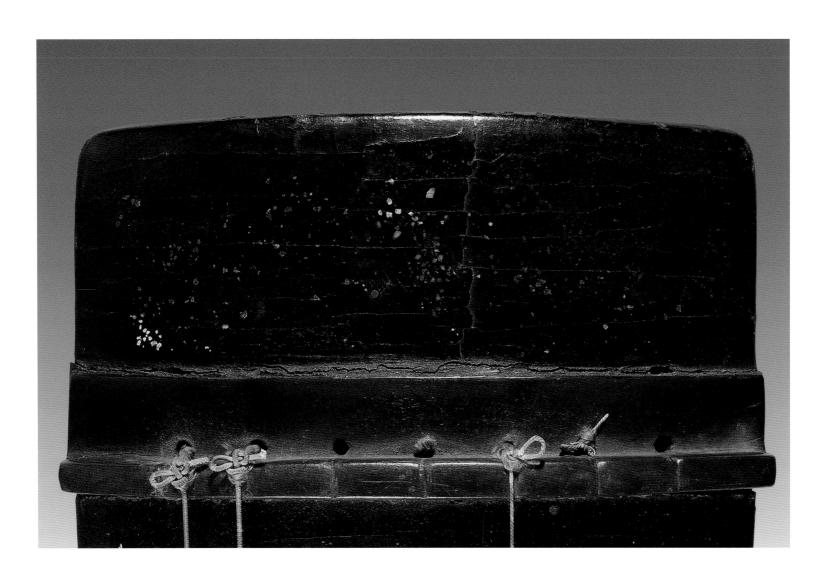

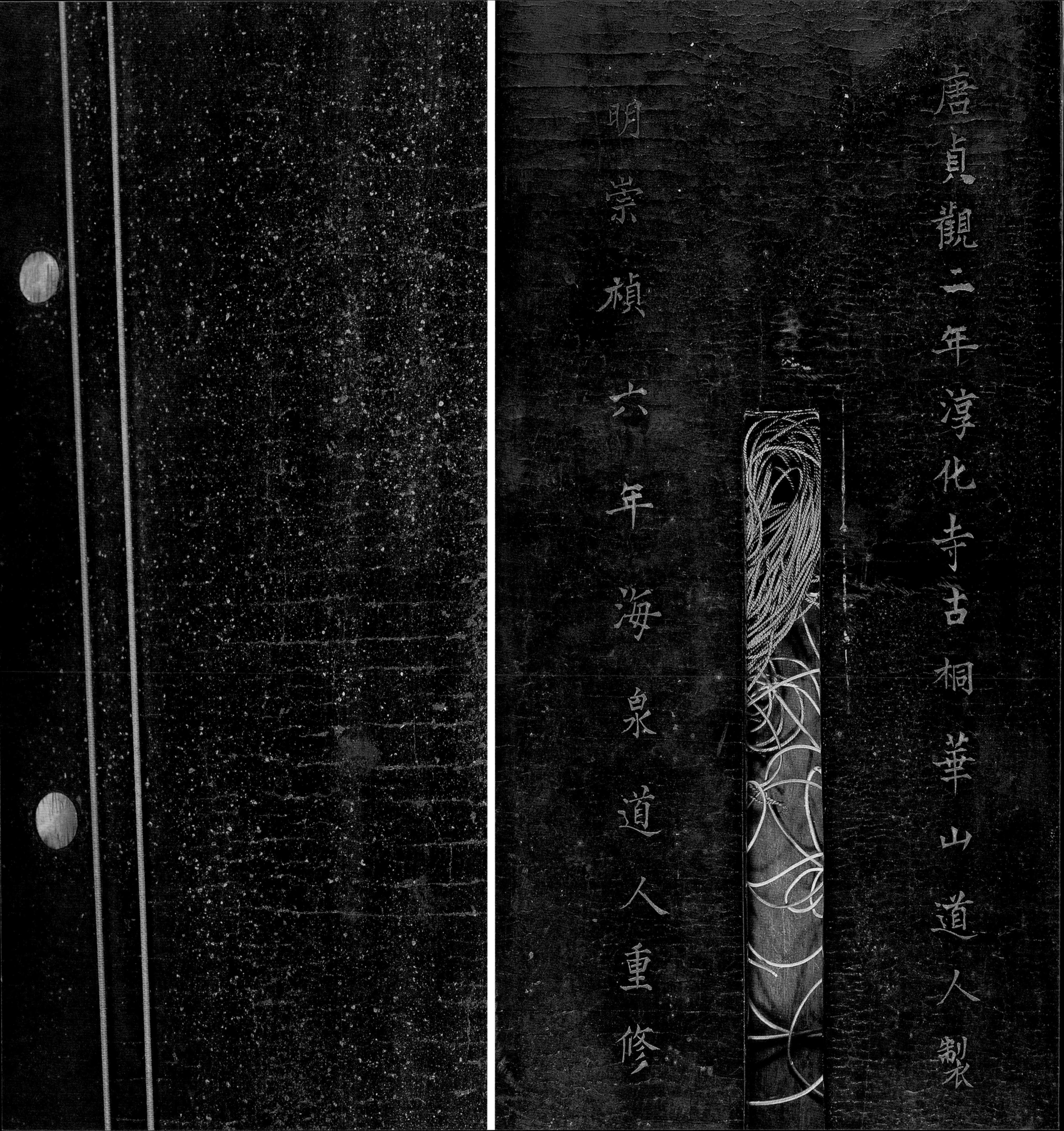

唐貞觀二年淳化寺古桐華山道人製

明崇禎六年海泉道人重修

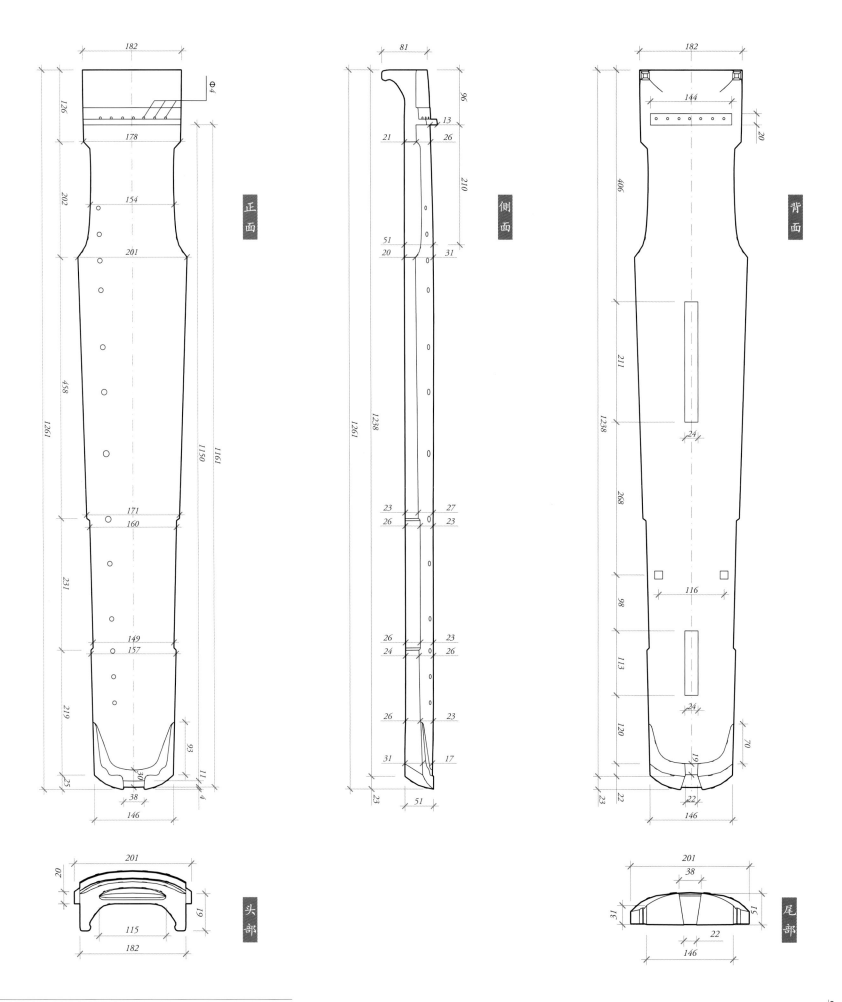

正面

側面

背面

頭部

尾部

琴头顶点位置

距琴头顶点　117毫米

距琴头顶点　328.5毫米

距琴头顶点　519毫米

距琴尾顶点　358毫米

距琴尾顶点　181毫米

距琴尾顶点　101毫米

距琴尾顶点　36毫米

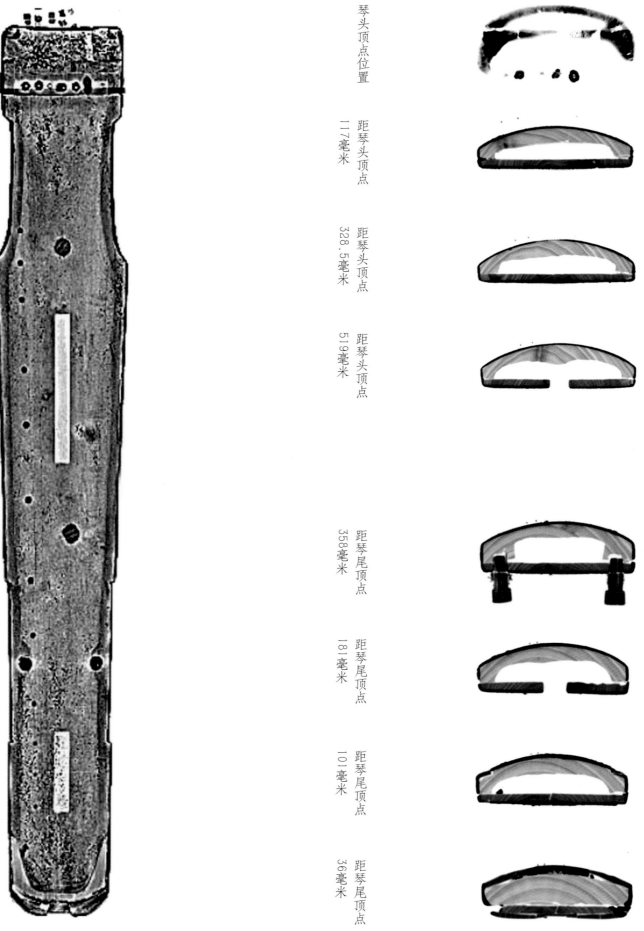

10. 仲尼式琴

宋代／通长 125.2 厘米　隐间 116.3 厘米　额宽
17.8 厘米

肩宽 19.5 厘米　尾宽 13.6 厘米　厚 5.3 厘米

　　琴为仲尼式，南宋制作。清宫旧藏。桐
木斫，黑漆，鹿角灰胎，牛毛断。长方池沼，
蚌徽，青玉足，紫檀岳尾，缺一护轸。全琴厚
而平，楞角崭然。

正面

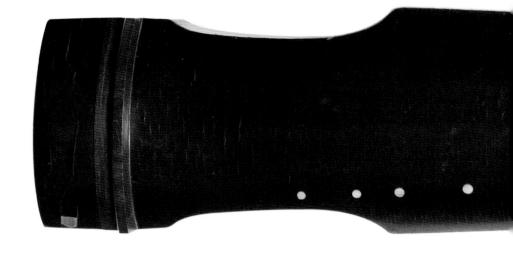

侧面

反面

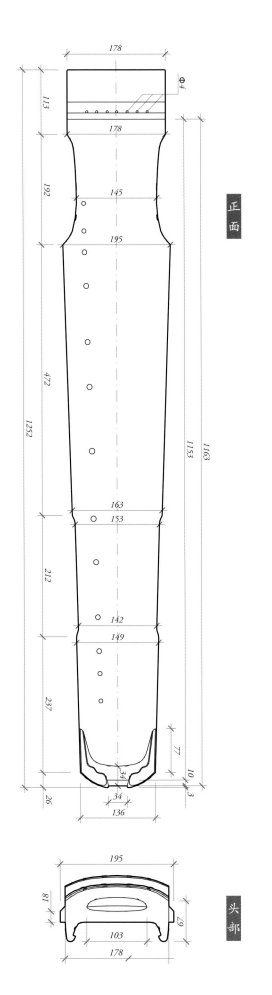

正面

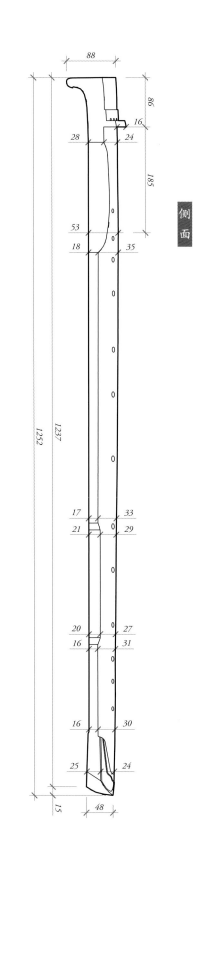

側面

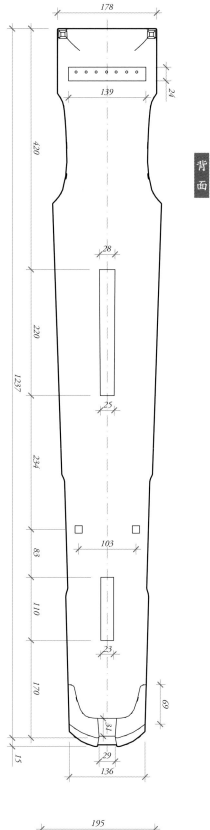

背面

头部

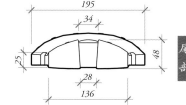

尾部

琴头顶点位置

距琴头顶点

96毫米

距琴头顶点

297毫米

距琴头顶点

512.5毫米

距琴尾顶点

377.5毫米

距琴尾顶点

223.5毫米

距琴尾顶点

103毫米

距琴尾顶点

51.5毫米

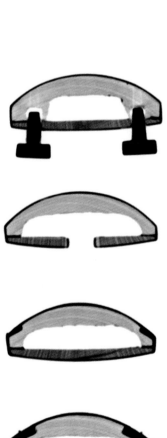

11."清籁"琴 仲尼式

宋代／通长 121.2 厘米　隐间 112.2 厘米　额宽
17.6 厘米

肩宽 18.2 厘米　尾宽 13 厘米　厚 5.2 厘米

"清籁"琴，仲尼式，南宋制作。清宫旧藏。桐木斫，黑漆，鹿角灰胎，冰纹断。长方池沼，金徽，白玉轸足，紫檀岳尾。

琴背铭刻，龙池上方刻篆书填青"清籁"琴名，其下填朱"乾隆御赏"方印，池左右直抵双足刻梁诗正、励宗万、陈邦彦、董邦达、汪由敦、张若霭、裘曰修琴铭，填以五色，七人俱乾隆词臣。其琴铭分别为："竹萧萧、松谡谡。鸟调簧，泉漱玉。天籁应宫商，谁能传此曲。静啸抚清弦，希声想涵蓄。臣诗正。""元气必清，声发乃肖。太音正希，谁为鼓召。寂然趺坐，莞尔独笑。金徽未张，閟此古调。忽和天倪，韵流万窍。非石钟鸣，非苏门啸。入耳会心，心灯自照。手挥五弦，静领其妙。臣励宗万敬铭。""虚斋拂徽轸，吹万起空谷。纤条发长鸣，泠泠袭书屋。天地皆秋声，寒螀杂古木。九秋爽气横，逸响振岩谷。调如笙竽清，幽律警茅屋。心与太古期，萧森动万木。臣邦彦敬铭。""金徽玉轸，响彻丝桐。七弦泠泠，六律雍雍。淡而弥远，和而不同。躁心以释，矜气以融。清夜静听，天籁靡穷。臣邦达。""空山杳然，声何为来。谁持风轮，一阖一开。臣由敦。""竹铿尔，松翏如，泠泠万窍鸣庭除。前者唱于后者喁，出虚之乐惟此夫。臣若霭。""泉凌晨而泻涧，叶向夕以吟风。何事泠泠渐渐，都教并入弦中。臣曰修。"池内右刻楷书腹款"严恭远斫"。

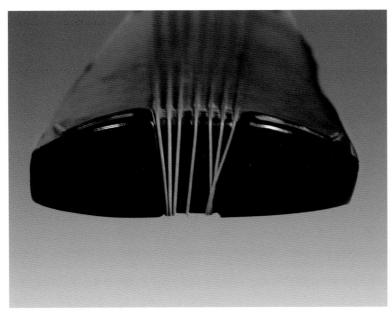
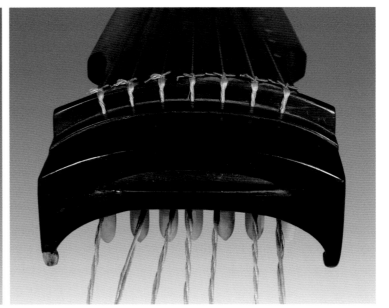

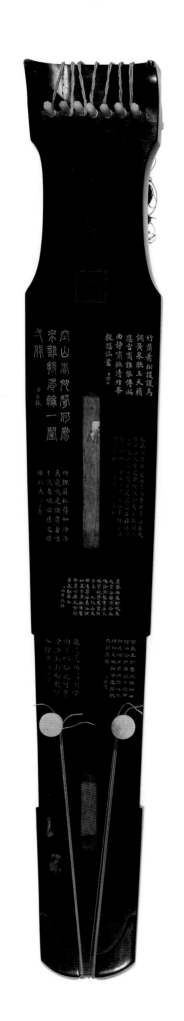

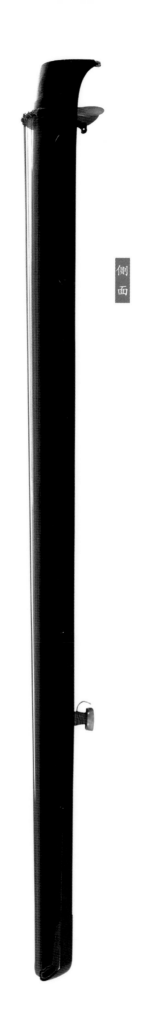

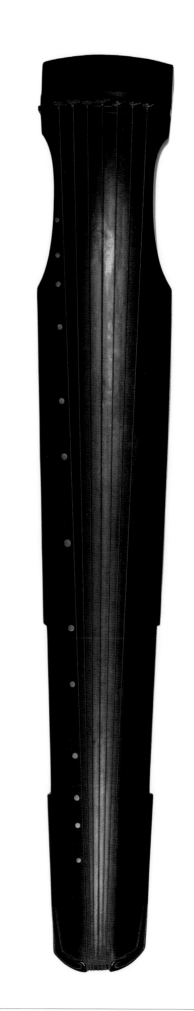

空山杳陟聲何楊
來誰持扇輪一閣
斗開

臣由敦

情

御製

行鏗爾松翳如泠泠
萬竅鳴庭除前者唱
于後者喁出廬之樂
惟此夫

臣若靄

虛齋梻巖彰吹萬
起空谷纖條發長
鳴泠泠巖書屋天
地皆秋聲螿雜寒
古木九秋與氣
橫逸響振巖谷調
如笙竽清幽律警
苑屋心與太古期
蕭森動萬木
臣邦彥敬銘

金巖盃輪響徹絲桐七
縈泠泠卯津雖二淡以所
弥遠稨氣以融不同躁直
釋矜气以融清直靜聽
天籟靡窮
臣邦達

泉凌晨而瀉澗葉
向夕以吟風何事
泠泠漸漸都教併
入絃中
臣曰修

竹蕭蕭松謖謖鳥
調黃泉漱玉天籟
應宮商誰能傳此
曲靜嘯撫清絃希

元氣必清聲發迸肖太音正希誰為鼓
召窅然坐莞甬獨唉金巖未張閟此
古調忽和天倪韻混萬竅非石鐘鳴作
蘇門嘯入耳會心了燈自照手揮五絃
靜領其妙
臣勖宗萬敬銘

12. "海月清辉" 琴 仲尼式

<u>宋代 / 通长 117.2 厘米　隐间 109.1 厘米　额宽</u>
<u>16.4 厘米</u>
<u>肩宽 18 厘米　尾宽 12.6 厘米　厚 5 厘米</u>

"海月清辉" 琴，仲尼式，南宋制作。清宫旧藏。桐木斫，糅栗壳色漆，有朱漆修补。鹿角灰胎，牛毛冰纹间梅花断。长方池沼，金徽，青玉足，青白玉轸，紫檀岳尾。

琴背铭刻，龙池上方刻隶书填青"海月清辉"琴名，其下填朱方印"乾隆御府珍藏"，池左右直抵双足刻梁诗正、励宗万、陈邦彦、董邦达、汪由敦、张若霭、裘曰修琴铭，填以五色。其琴铭分别为："瀛海兮澄鲜，辟月兮秋悬。想孤光之通印，拟逸韵之清圆。霏

空露华湿，荡影明珠拾。水仙操兮鱼龙听，伯牙叹兮成连迎。臣梁诗正。""流水今日，明月前身。诗品所贵，琴理则均。金波有魄，紫澜无尘。惟明惟洁，面目各真。指上消息，难得解人。浣心以净，养性以醇。清辉在抱，调肺腑春。臣宗万。""水中月，声中景，意中缘。出沧波，圆魄鲜。泝空明之流光，惟托响于素弦。臣邦彦。""峄阳之桐高百尺，斫为雅琴和以怿。皎如长空悬皓魄，海波相映澄日夕。成连归去杳无迹。清秽心神形俱

释，泠泠一曲高天碧。臣邦达。""涛涌银盘，凉生玉宇。濯冰壶而砭骨，引潜蛟使起舞。知音哉素娥，为一弹而再鼓。臣由敦。""老蟾入月蚌含胎，鞠通亦爱神仙材。三虫跳掷天风来。臣若霭。""何年斫此苍玉精，一弹再鼓移人情。海中明月弦上声，初闻飒飒海水清。继看皎皎秋月生，金波雪浪同光晶，忽然晃漾开瑶京。成连刺篙出东瀛，微风引之度青城。眼中亲见三山横，人间筝笛徒营营。臣裘曰修。"

反面

側面

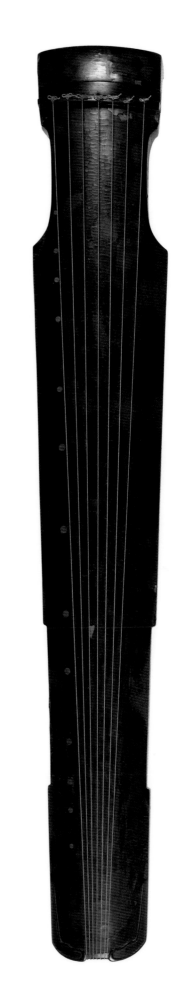

正面

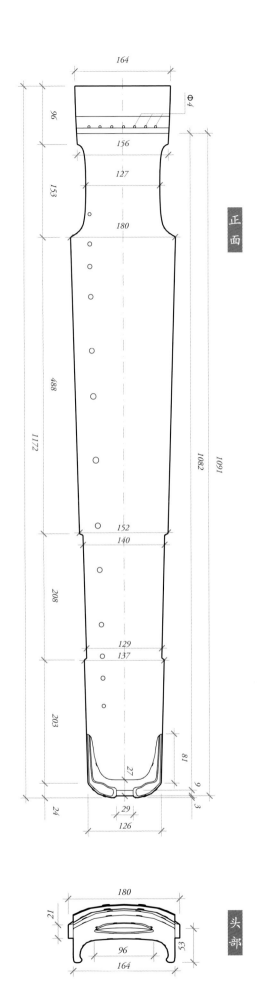

正面

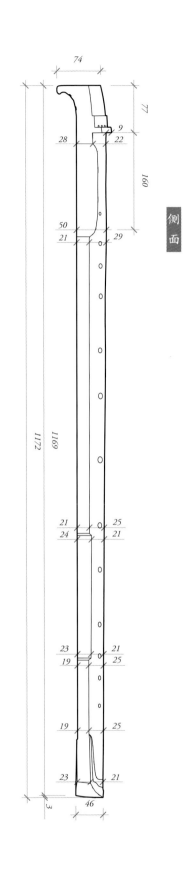

側面

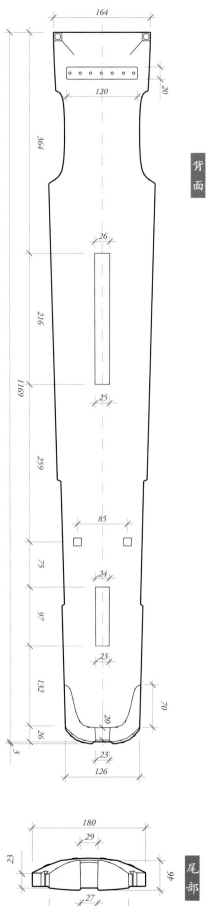

背面

頭部

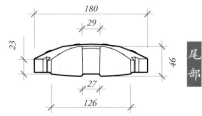

尾部

琴头顶点位置

距琴头顶点

92.50毫米

距琴头顶点

254.5毫米

距琴头顶点

476.5毫米

距琴尾顶点

338.5毫米

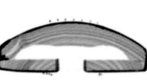

距琴尾顶点

217毫米

距琴尾顶点

92.5毫米

距琴尾顶点

32毫米

海月清輝

澒溟銀盤翻生玉
宇燿黧灰塵而皎号
引潛統傳鈕舞知
晉哉棠㼌為一彈
昊再對
臣由敦

老蟾入月蚌含
胎翰通亦愛神
仙材三蟲跳撅
天風来
臣若靄

瀛海子澄鮮闢月子秋
懸想孤光之通印撥逸韻
之清圓霏空露華瀚蕩
影朗珠拾水仙操子魚龍
聽伯牙歇號連迎
臣梁詩正

流水今日明月前身詩品所貴琴理則
均金波有魄紫潤㸃塵惟明惟潔面目
各真指上消息難浔解人浣心以淨養
性以醇清輝在抱調肺腑春一彈
臣宗萬

水中

月聲中景
亮中緣出滄
波圓魄鮮泝空
明之流光惟託
響於素絃
　臣邦彥

何年斷此蒼玉精一彈再鼓移人情海
中明月絃上聲初間颯颯海水清繼看
皎皎秋月生金波雪浪同光晶忽然晃
漾開瑤京成連刺篙出東瀛微風引之
度青城眼中親見三山橫太間箏笛徒
營營
臣裘日修

嶧陽之桐高百尺斷為雕琴
掄叩懌歧如長空縣皓魄海
般相映登日夕成連歸太官
無迭清移之神形俱輝泠泠
弋曲高天碧
　臣邦達

13. "奔雷"琴 仲尼式

宋代／通长 126.6 厘米　隐间 117.2 厘米　额宽 18.5 厘米

肩宽 20 厘米　尾宽 15.6 厘米　厚 5.2 厘米

"奔雷"琴,仲尼式,南宋制作。1983 年入藏故宫博物院。桐木斫,通体黑漆,紫漆修补。鹿角灰胎薄而坚,小蛇腹间牛毛断。长方池沼,蚌徽,牛角足,象牙轸,紫檀岳尾。亦是耸肩之琴,唯项逐渐坡下,是以耸而不觉其狭。亦非常例,尤怪者无凤舌。琴为天津琴家宋镜涵旧藏。

琴背铭刻,龙池上方刻古篆琴名"奔雷",池旁宋镜涵题诗二首:"南北东西几度游,名琴能遇不能求。奔雷无意欣相遇,宿愿多年始得酬。""久经风鹤不堪嗟,一抚奔雷兴倍赊。三十年来成侣伴,怡情养性不离他。"池下刻朱宝成跋一则并小印二。朱宝成跋:"周密《视听抄》列举北方名琴十七床、内一则云:'奔雷樊泽民琴,当第一。'老友宋君镜涵三十年前得之,时时抚弄未尝相离,今年八十岁,为琴赋二诗,余喜而镌之,以志雪爪云尔。天峰居士朱宝成。"小印镌"朱""宝成"三字。跋文右侧刻"夏历岁次己亥正月十五日",左侧刻"公元 1959 年时年六十有四"。

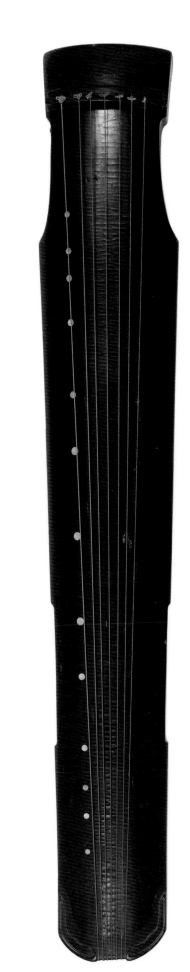

反面　　側面　　正面

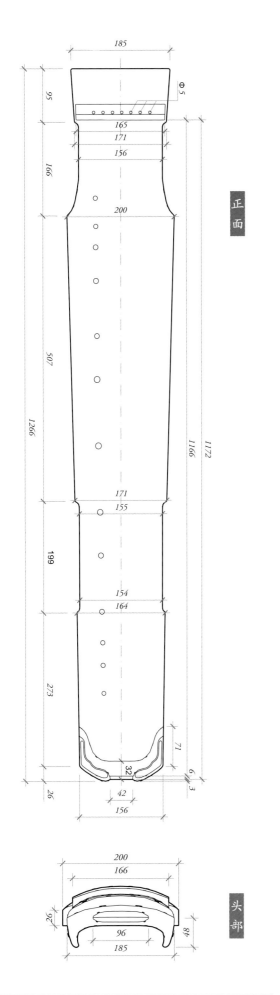

正面

頭部

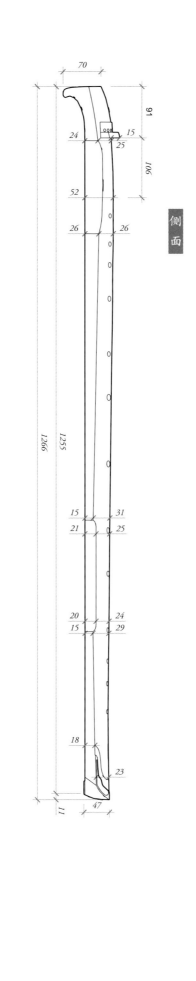

側面

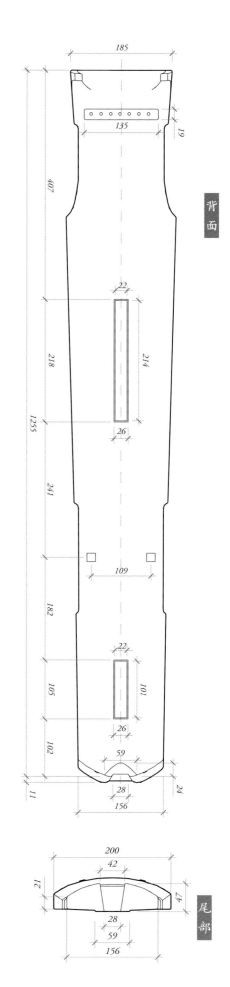

背面

尾部

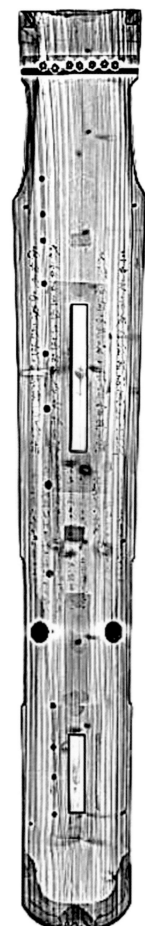

琴头顶点位置

距琴头顶点
87毫米

距琴头顶点
258.5毫米

距琴头顶点
512.5毫米

距琴尾顶点
404毫米

距琴尾顶点
229.5毫米

距琴尾顶点
127毫米

距琴尾顶点
42毫米

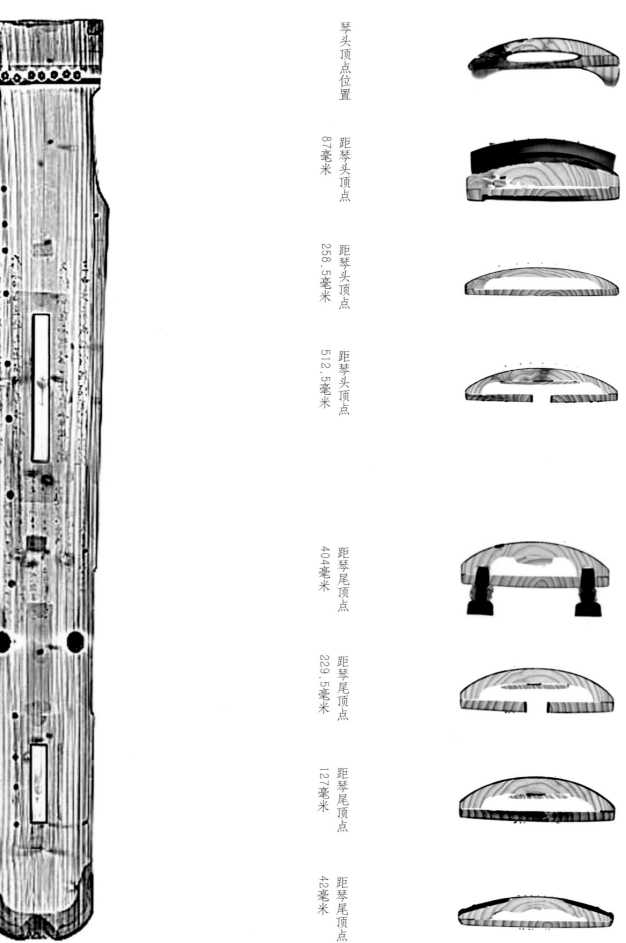

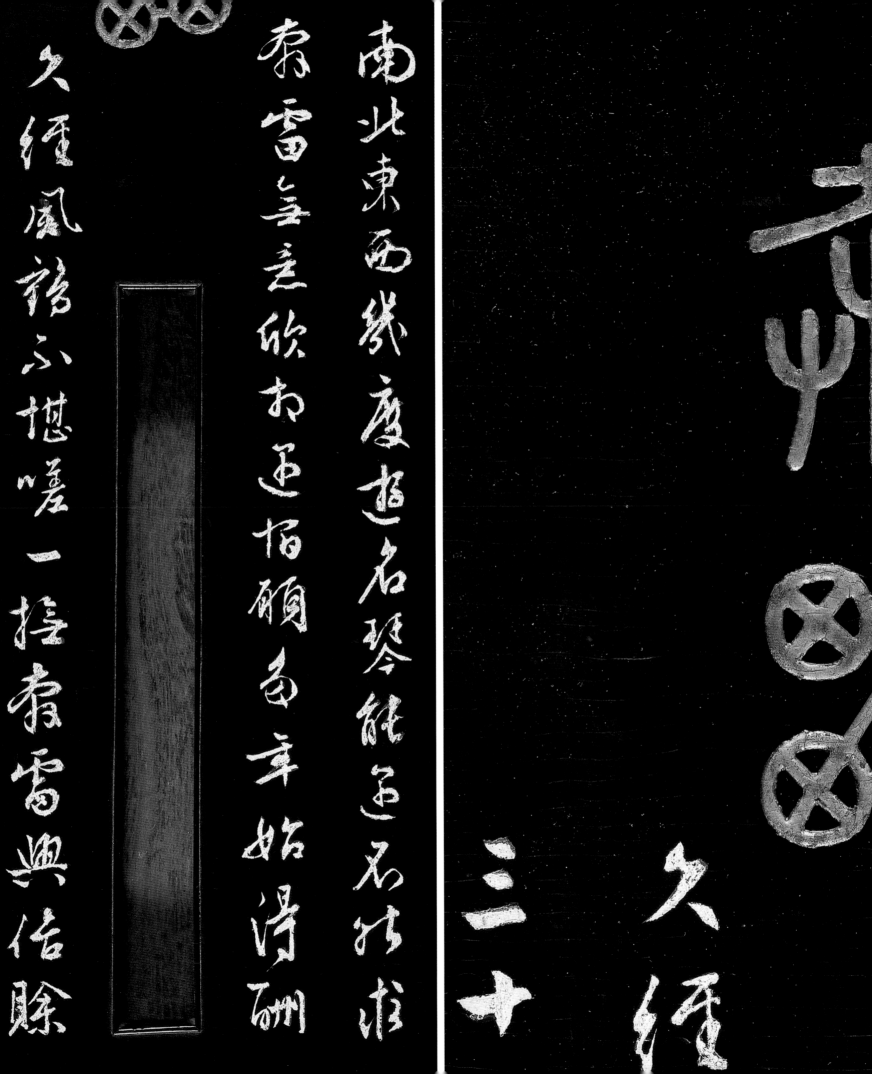

南北東西幾度遷　名琴能述石情
雷之法欲知還須碉而辛始得珊瑚

久經風韻不堪嗟　一捲煙雷興佑餘
三十年來成侶伴　怡情慱裏性不離他

久經
三十

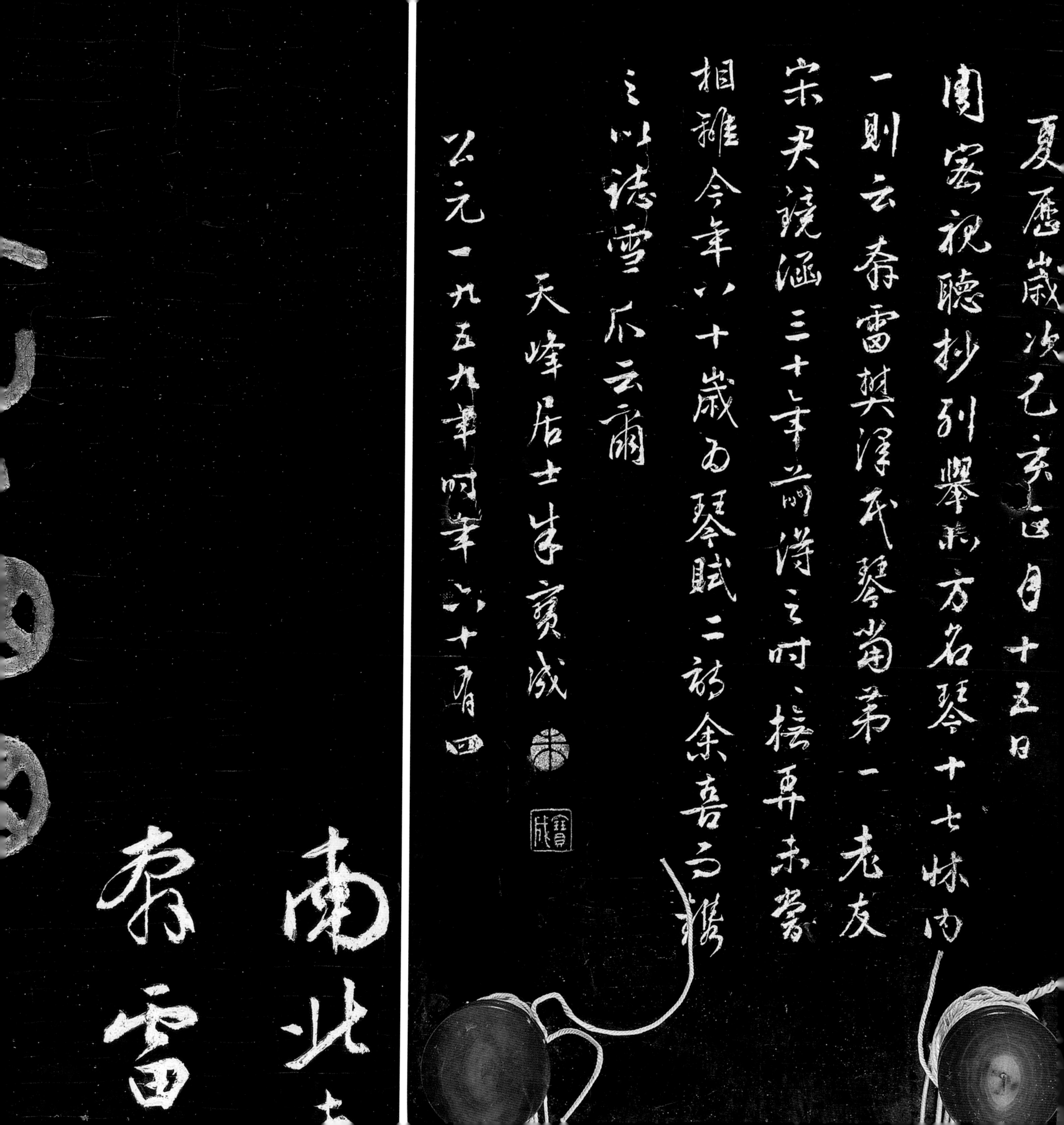
南北
春雷
夏曆歲次乙亥正月十五日
閒窗視聽抄列舉未方名琴十七條內
一則云春雷樊澤氏琴為第一老友
宋夾鏡涵三十年前得之時時撫弄未嘗
相離今年八十歲為琴賦二詩余喜而攜
之以誌雪爪云爾
天峰居士宇寶成
寶成
公元一九五九年時年六十有四

14. 仲尼式琴

<u>元代 / 通长 119.4 厘米　隐间 111.5 厘米　额宽</u>
<u>17.4 厘米</u>
<u>肩宽 19.2 厘米　尾宽 13 厘米　厚 5.2 厘米</u>

琴为仲尼式，元代制作。清宫旧藏。桐木斫，黑漆，鹿角灰胎，冰纹间牛毛断。长方池沼，金徽，青白玉轸足，紫檀岳尾。全器姿态秀美停匀，制作精当，法度森严。从透视照片可见，琴腹内岳下与琴尾均留有半圆实木，必是预备挖声池韵沼，不知为何没有施为。

腹款"赤城朱致远制"。"赤城"在今北京以北。朱致远，是元末明初人。

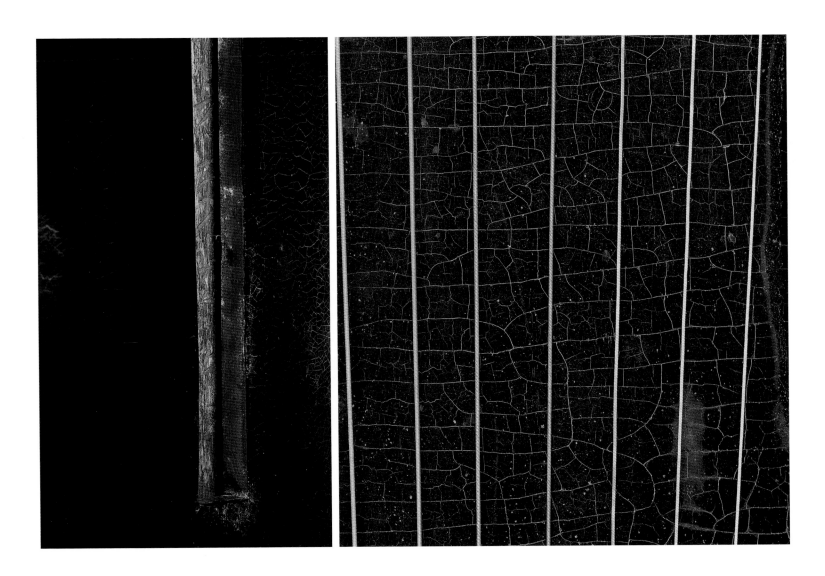

反面

侧面

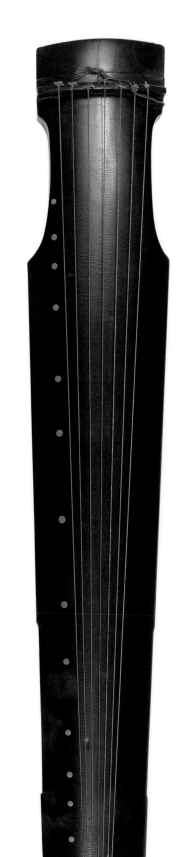

正面

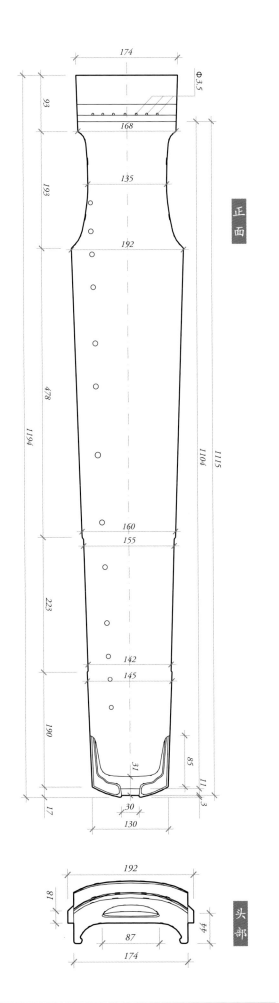

正面

头部

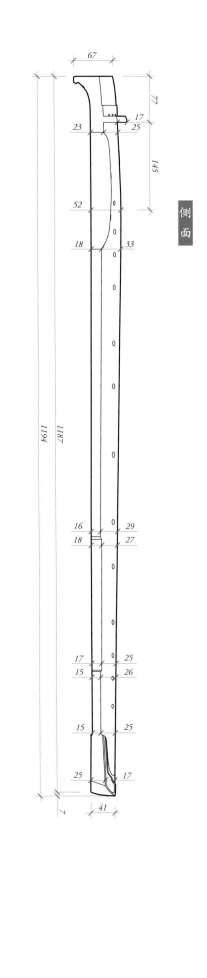

側面

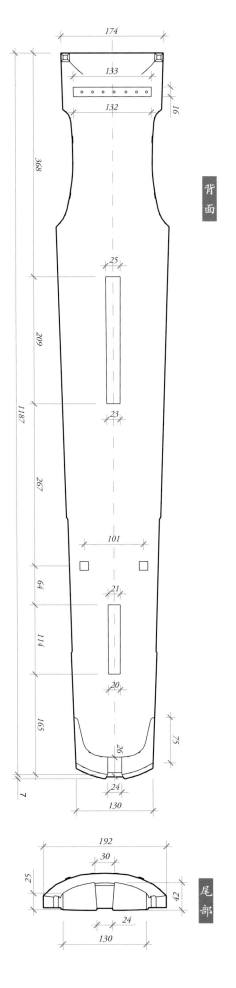

背面

尾部

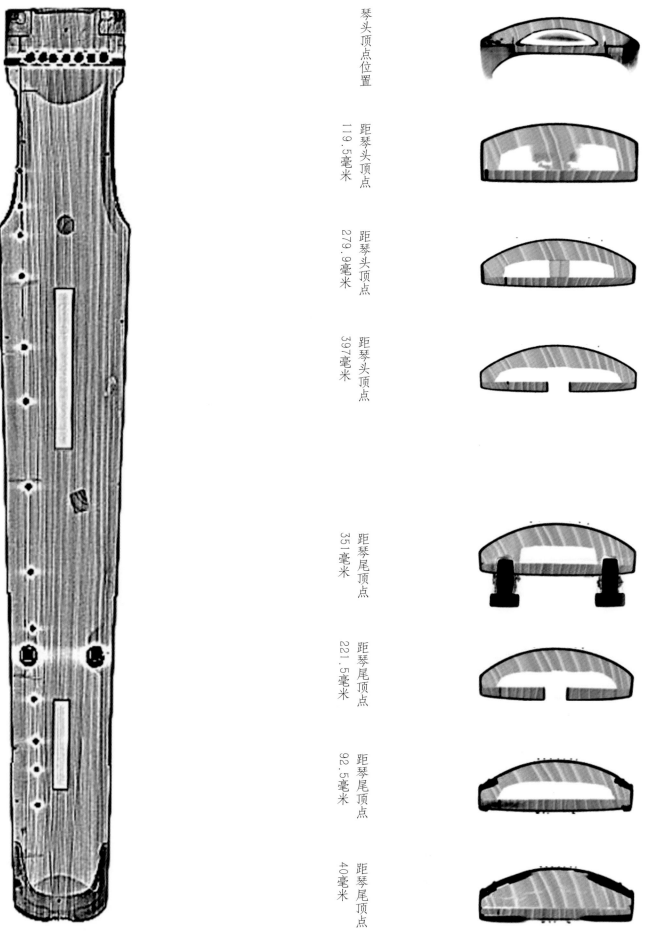

琴头顶点位置

距琴头顶点 119.5毫米

距琴头顶点 279.9毫米

距琴头顶点 397毫米

距琴尾顶点 351毫米

距琴尾顶点 221.5毫米

距琴尾顶点 92.5毫米

距琴尾顶点 40毫米

15. 仲尼式琴

元代 / 通长 121.1 厘米　隐间 112.8 厘米　额宽

17.9 厘米

肩宽 20.5 厘米　尾宽 14 厘米　厚 5.4 厘米

　　琴为仲尼式，元代制作。清宫旧藏。朽
桐木斫，通体黑漆，紫漆修补。鹿角灰胎薄而
坚，牛毛间冰纹断。长方池沼，金徽系改配，
青白玉足，碧玉轸，紫檀岳尾。

　　琴背铭刻，龙池上方刻隶书琴铭："间辽
张急如出谷，冲牙之鸣和以肃，涩矗流漫轰陆

续，噫其在北海之滨分箕山之麓。"署"乾隆
御制"并"絜矩"椭圆小印。池下"乾隆御
府珍藏"大印。

　　池内右侧刻楷书"慎厂"并填漆，即朱
致远之字。

反面

間遠張展加出谷衡牙
之張展和以蠶驪深湯
鳴和以驪驪深湯
蠱陵� 果北海之
蠱陵� 果在北海之
濬方萊山之巖
乾隆御製

側面

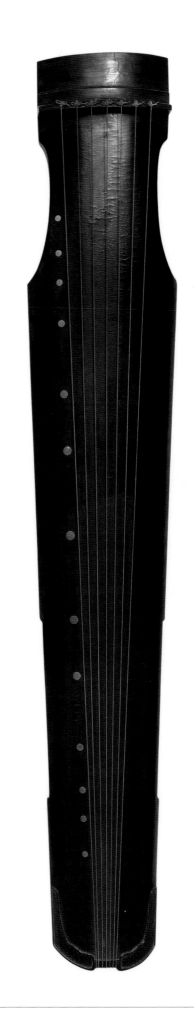

正面

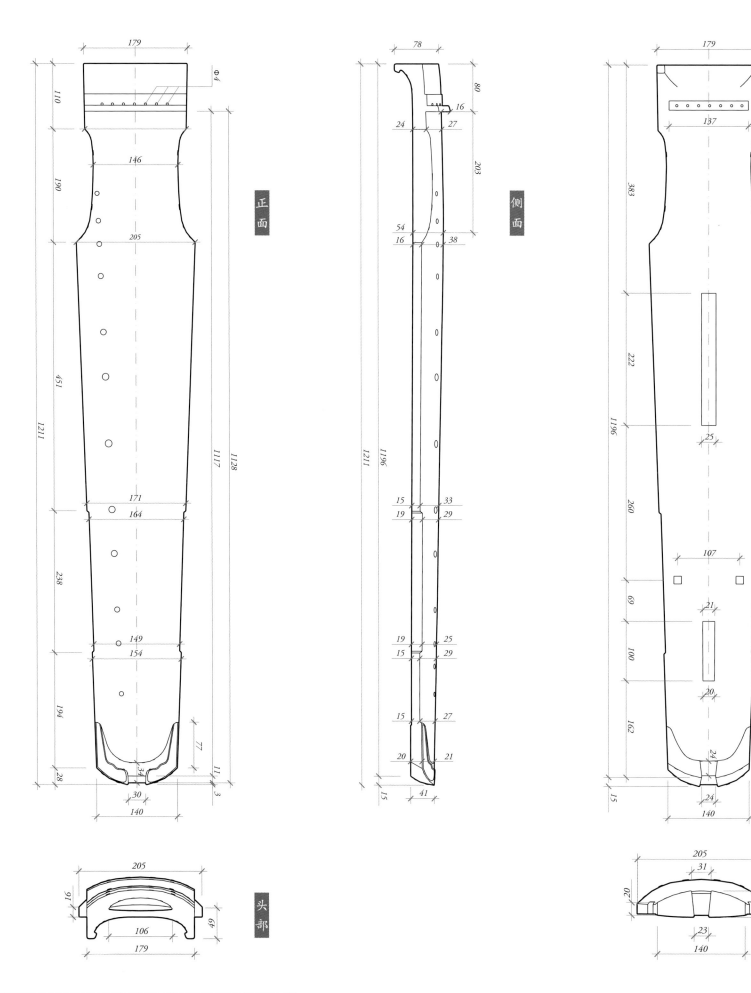

正面

側面

背面

頭部

尾部

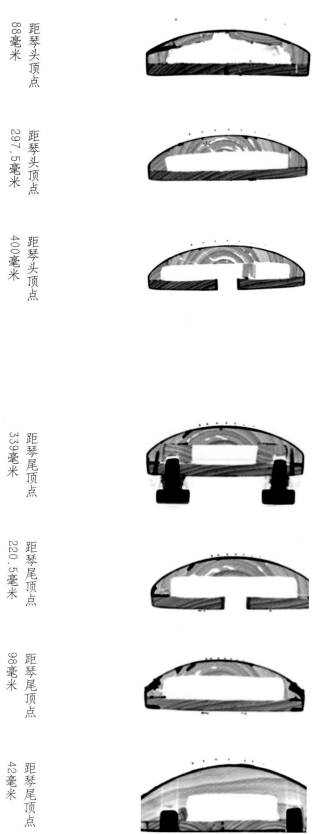

琴头顶点位置

距琴头顶点
88毫米

距琴头顶点
297.5毫米

距琴头顶点
400毫米

距琴尾顶点
339毫米

距琴尾顶点
220.5毫米

距琴尾顶点
98毫米

距琴尾顶点
42毫米

16. "龙门风雨"琴 伏羲式

<u>明代 / 通长 120.8 厘米　隐间 111 厘米　额宽</u>
<u>21 厘米</u>
<u>肩宽 20.2 厘米　尾宽 14.3 厘米　厚 6 厘米</u>

"龙门风雨"琴，伏羲式，明初制作。清宫旧藏。桐木斫，黑漆上罩朱漆，瓦灰胎，牛毛断。蚌徽，黄杨岳尾，紫檀轸，青玉足。圆龙池，长圆凤沼。

琴背铭刻，龙池上方刻草书"龙门风雨"琴名，池下方篆刻"包含"大印一方。有

腹款，唯漶漫不清，圆池周围依稀有"大宋"字样，纳音左右可辨者右书"时……重修"、左书"时万历……又重修"。

原琴损坏极严重，二十世纪四十年代后期，管平湖先生修好"大圣遗音"后又修此琴，使其修复成为相当完整的乐器。

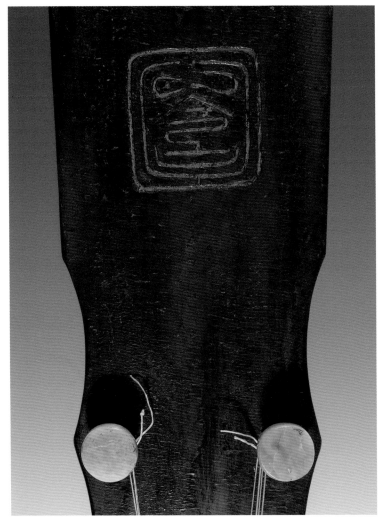

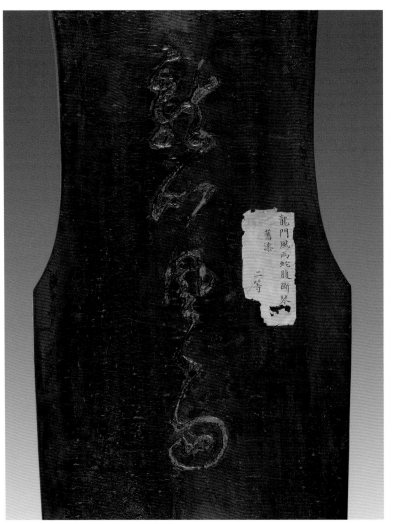

反面

側面

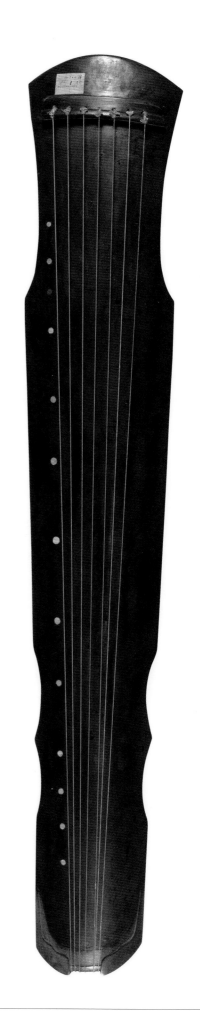

正面

古琴

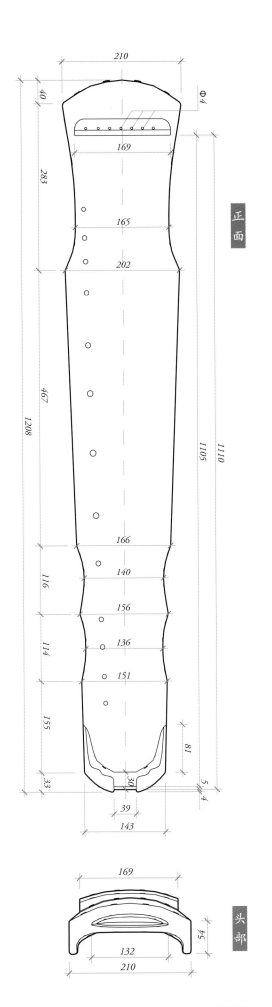

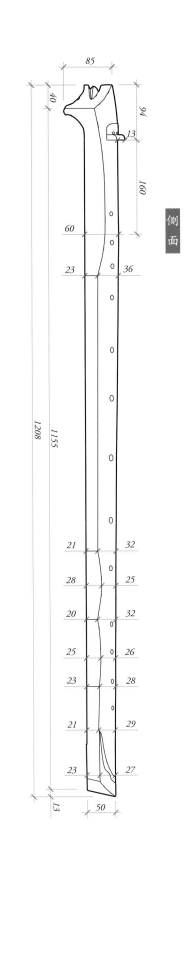

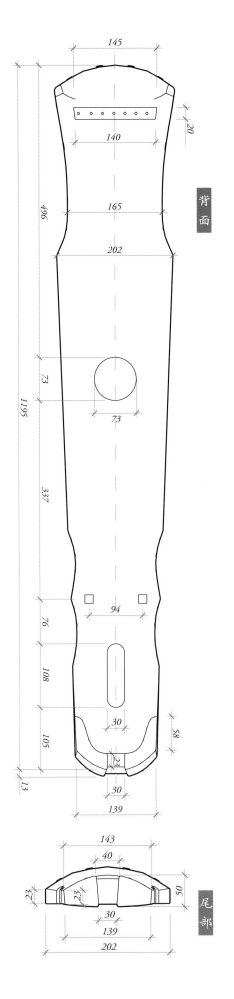

正面

側面

背面

頭部

尾部

琴头顶点位置

距琴头顶点 88.5毫米

距琴头顶点 314.5毫米

距琴头顶点 529.5毫米

距琴尾顶点 308毫米

距琴尾顶点 175.5毫米

距琴尾顶点 95毫米

距琴尾顶点 44.5毫米

17. "可伴"琴 落霞式

<u>明代 / 通长 124 厘米　隐间 115.7 厘米　额宽</u>

<u>17.7 厘米</u>

<u>肩宽 21.5 厘米　尾宽 12.5 厘米　厚 6.2 厘米</u>

　　"可伴"琴，落霞式，明中期制作。清宫
旧藏。桐木斫，黑漆，纸地瓦灰胎，流水间
蛇腹断，蚌徽，紫檀岳尾，轸余四，红木足余
一，护轸余一。全琴面漆及灰胎伤损极为严
重，但面底板尚完好。伤处板上可见刀刻痕
迹，为伪制断纹。

　　琴背铭刻，龙池上横刻篆书琴名"可伴"
二字，其间直刻楷书"敕赐玉堂之宝"，下刻
篆书"弍朝司马"印一方。龙池左右刻楷书
琴铭"养中和之正气，禁忿欲之邪心"，龙池
下刻篆书"两袖松风"印，印下刻楷书"成
化二年三月初一日钦赐钦遵太子太保吏部尚
书臣商辂敬"。成化二年即 1466 年，商辂《明
史》有传。

正面

侧面

反面

18. "月明沧海"琴 落霞式

明代 / 通长 124.1 厘米　隐间 116.3 厘米　额宽 18.7 厘米

肩宽 21.3 厘米　尾宽 14.6 厘米　厚 6.7 厘米

"月明沧海"琴，落霞式，明中期制作。清宫旧藏。桐木斫，黑漆上罩朱漆发紫色，瓦灰胎，大蛇腹断，金徽缺一，青白玉轸足缺轸一，碧玉岳尾，焦尾缺一。

琴背铭刻，龙池上方刻行楷"月明沧海"琴名。池下方刻楷书："七弦齐鸣月未残，潮音乍泛天风寒。闻思大士自在观，清净道场来珊珊。乌皮欲横寻古欢，颖师往矣谁复弹？"并篆书"乐天"双龙纹小圆印。

正面

侧面

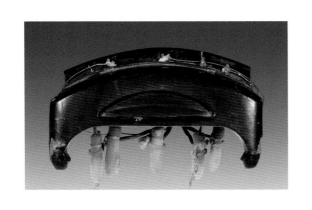

反面

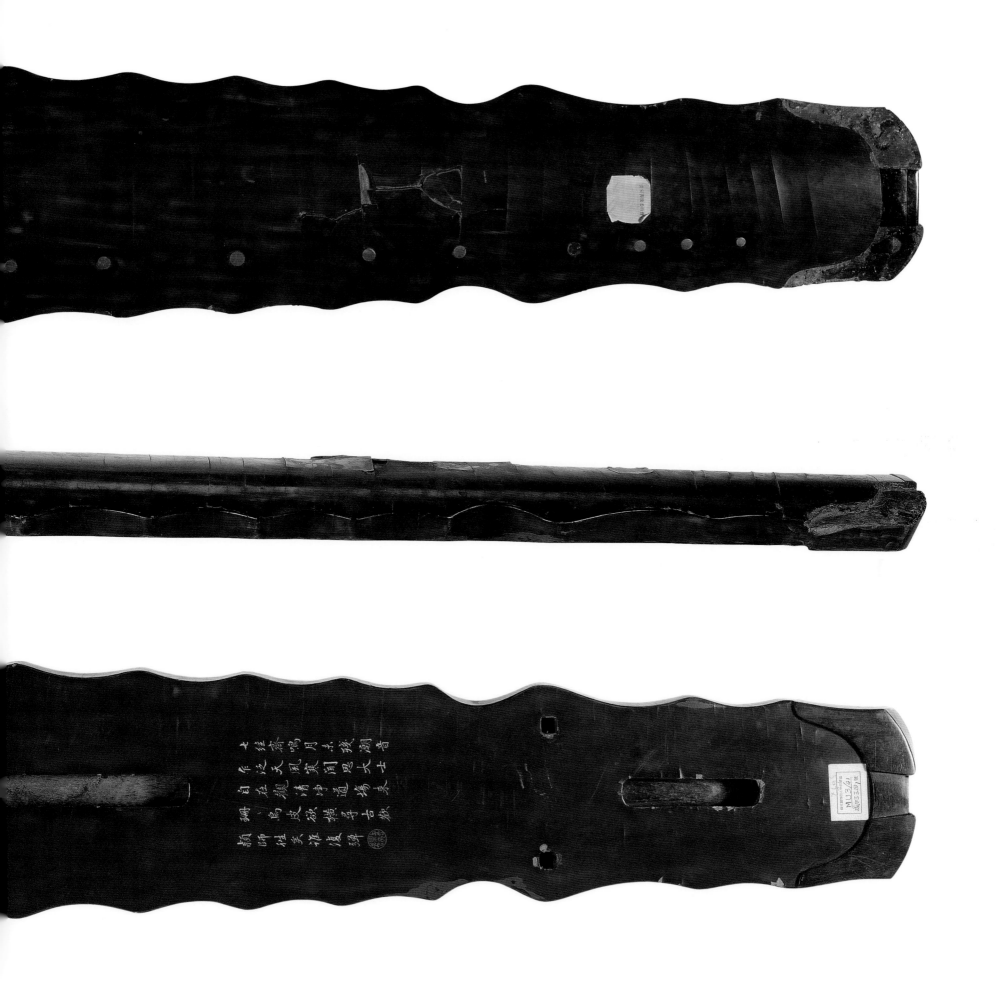

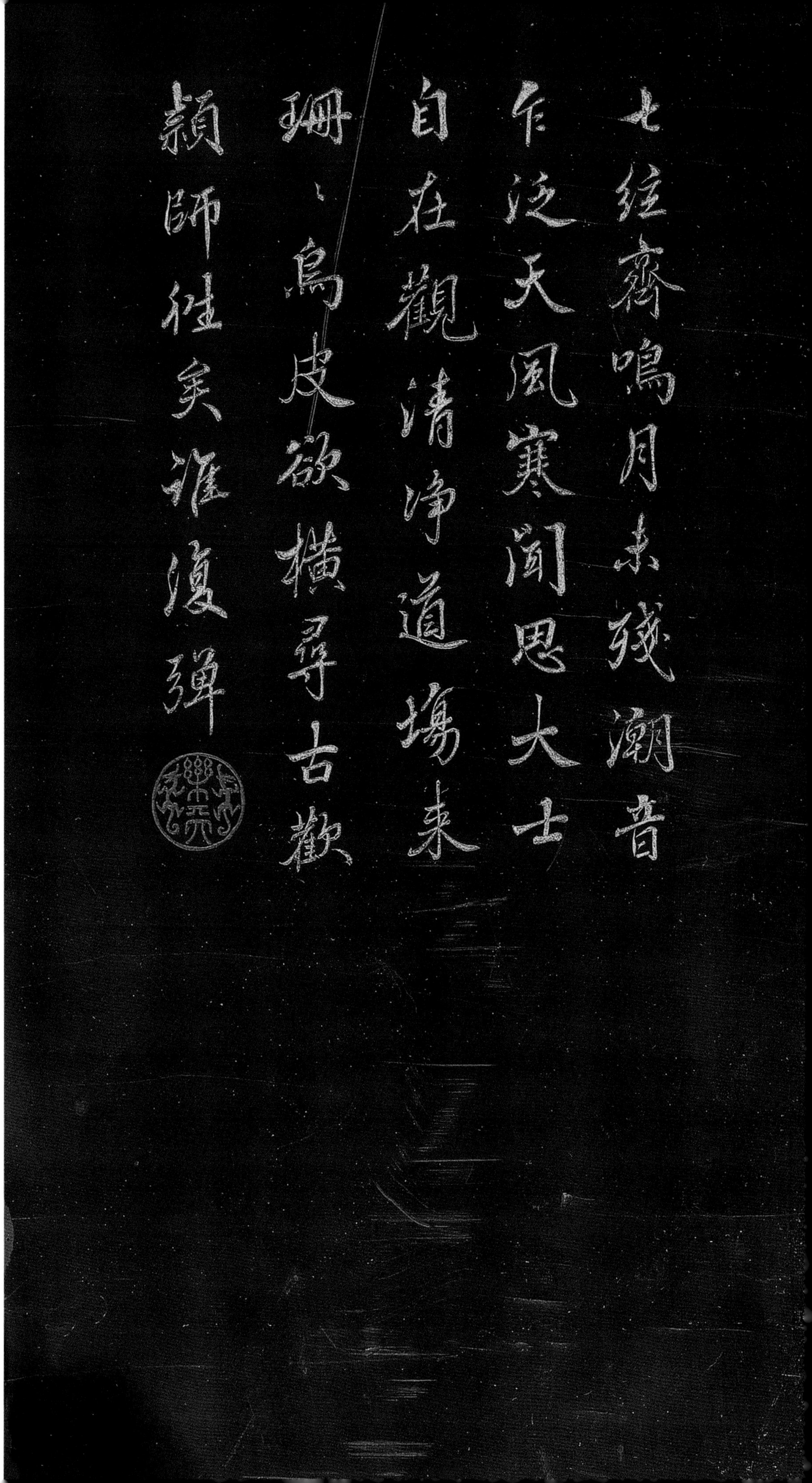

七絃齊鳴月未殘潮音
乍泛天風寒閒思大士
自在觀清淨道場來
珊珊烏皮欲橫尋古歡
穎師往矣誰復彈

19. 仲尼式琴

明代 / 通长 120.4 厘米　隐间 112.6 厘米　额宽
17.2 厘米

肩宽 18.8 厘米　尾宽 13.7 厘米　厚 4.9 厘米

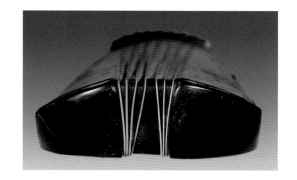

"琴为仲尼式，明弘治制。清宫旧藏。桐木斫，黑漆，纯鹿角灰胎，通体发小蛇腹间冰纹断。金徽余九枚，紫檀岳尾，木轸足。全器保存完好，唯伤一护轸。

琴背无铭刻，而龙池内有墨书楷体小字款三行，右二左一，云："大明弘治十一年，岁次戊午，奉旨鸿胪寺左寺丞万胫中，制琴人惠

祥斫制于武英殿。命司礼监太监戴义，御用监太监刘孝、潘德督造。"惠祥是明代著名斫琴师，戴义为明代著名太监琴家。

此琴工精料实，有抚弹痕迹，弦路下多处因走手磨耗露出灰胎，岳山亦因使用日久，补以鹿角灰并髹紫漆。此琴自弘治十一年（1498）制成后，从未出宫，款识确切无疑。

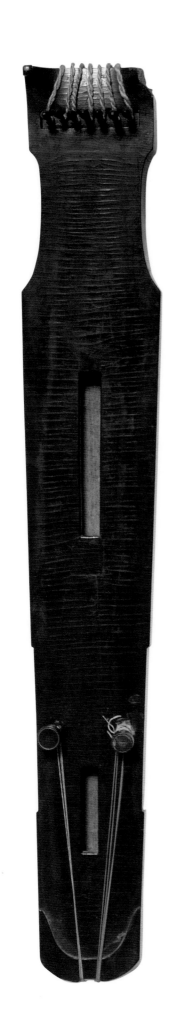

反面

側面

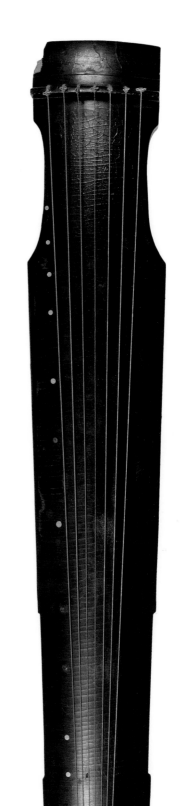

正面

古琴

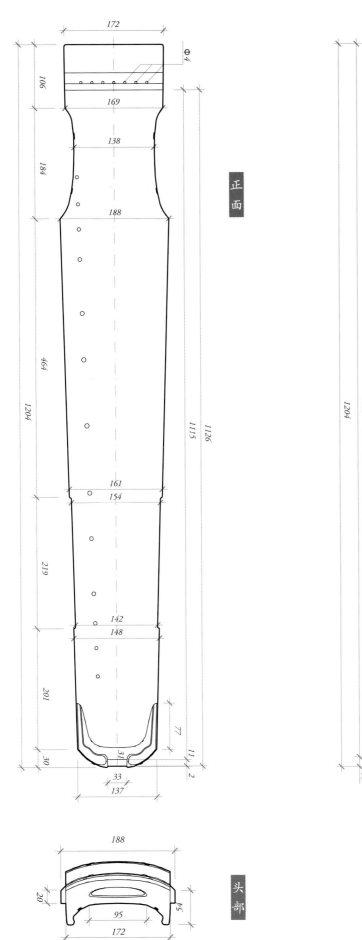

正面

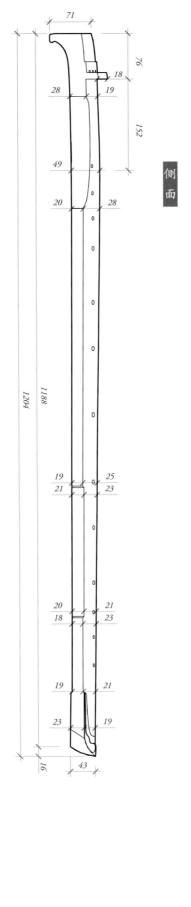

側面

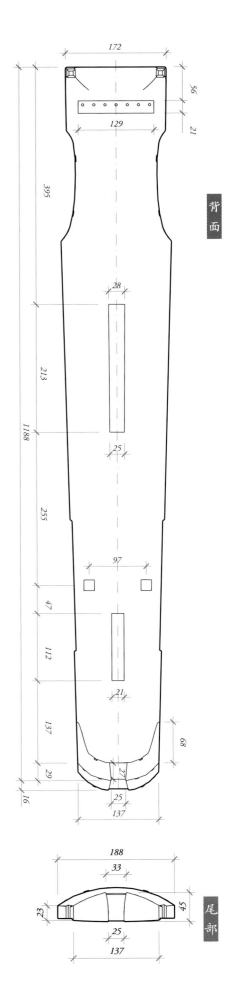

背面

頭部

尾部

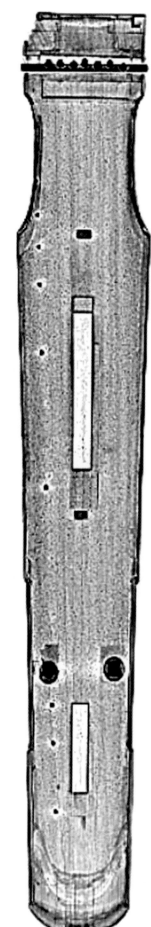

琴头顶点位置

距琴头顶点
99毫米

距琴头顶点
287毫米

距琴头顶点
476.5毫米

距琴尾顶点
338.5毫米

距琴尾顶点
217.5毫米

距琴尾顶点
78.5毫米

距琴尾顶点
45.5毫米

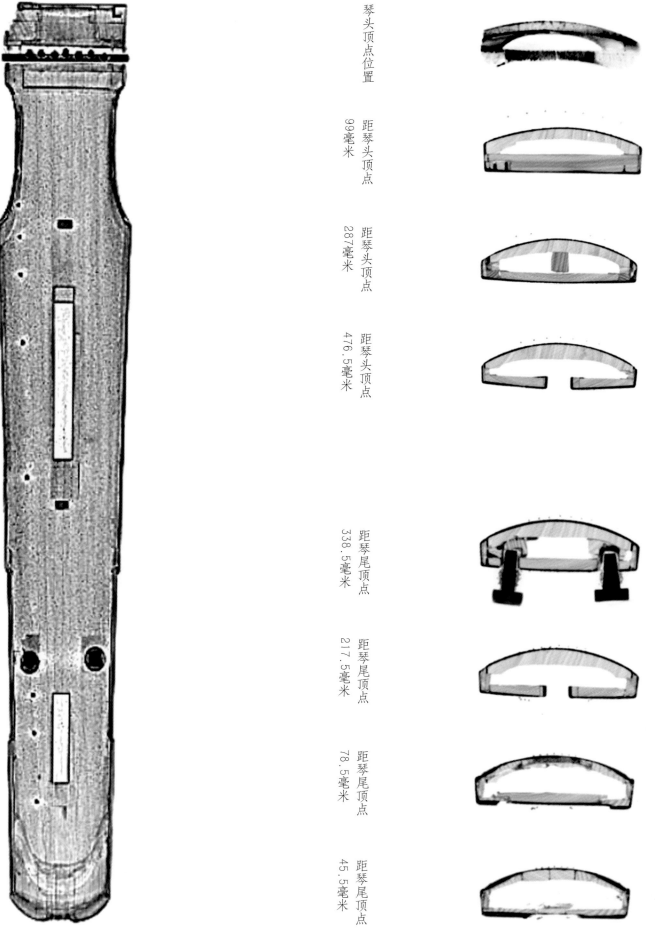

20. "聚云"琴 仲尼式

<u>明代 / 通长 116.2 厘米　隐间 108.5 厘米　额宽</u>

<u>17.1 厘米</u>

<u>肩宽 17.9 厘米　尾宽 13 厘米　厚 4.9 厘米</u>

　　"聚云"琴，仲尼式，明正德制。清宫旧藏。长方池沼，有贴格。桐木斫，面板蛀材。黑漆，纯鹿角灰胎，通体牛毛断。金徽，花梨焦尾，岳山其他什件俱是紫檀，青玉轸足。全器保存完好，唯伤一护轸。

　　琴背铭刻，龙池上方刻草书"聚云"琴名。池内墨书款极多，纳音两侧居中各有寸许墨写楷书一行，唯右侧可辨"正德乙亥四月口"字样，"正德乙亥"系正德十年（1515）。紧靠纳音处两边有墨书小字数行，均无法辨识。

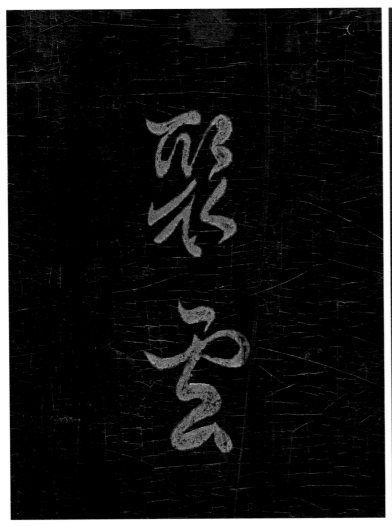

反面

側面

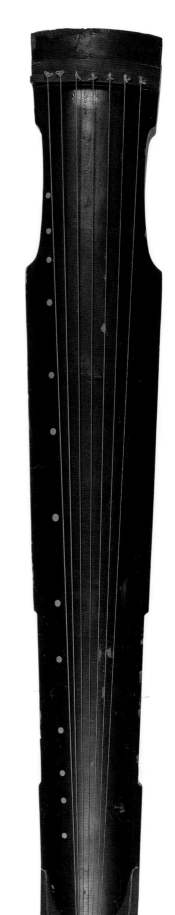

正面

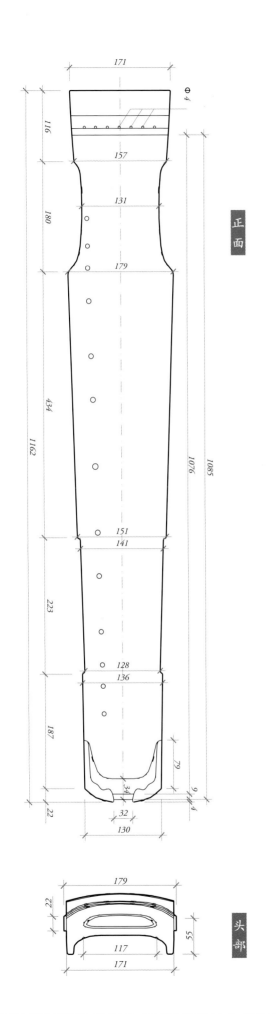

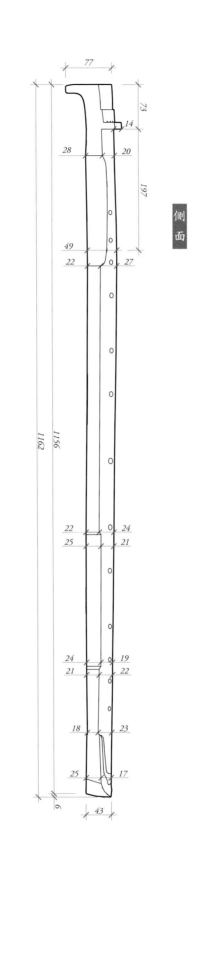

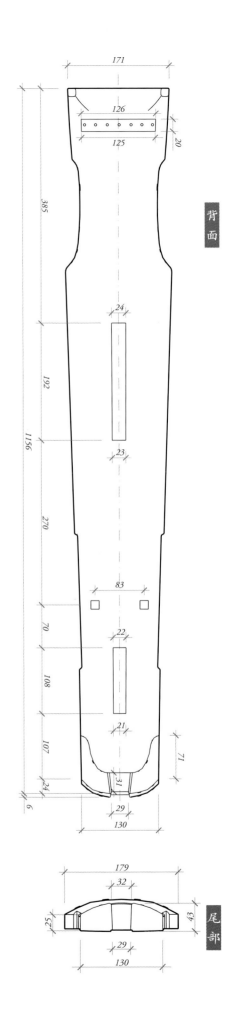

正面

侧面

背面

头部

尾部

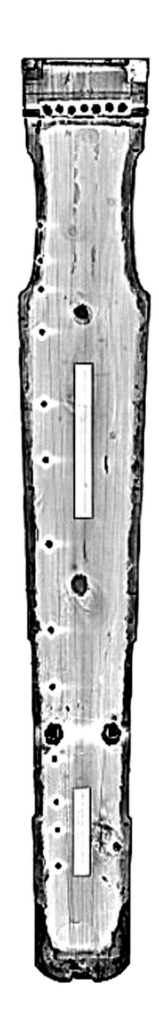

琴头顶点位置

距琴头顶点

84毫米

距琴头顶点

295.5毫米

距琴头顶点

466.5毫米

距琴尾顶点

315毫米

距琴尾顶点

211.5毫米

距琴尾顶点

94.5毫米

距琴尾顶点

43.5毫米

21. 变体龙腮式琴

明代 / 通长 119.2 厘米　隐间 108 厘米　额宽
17.4 厘米

肩宽 19.4 厘米　尾宽 13.7 厘米　厚 5.5 厘米

　　琴为明代制作。明代琴谱《风宣玄品》
"历代琴式"有"龙腮"者，注曰："秦李
斯作，于凤舌之上员增三寸，两额间收广三
寸半。"其腰为小内弧半月形，此琴略似之。
桐木斫，黑漆间有红漆补伤，鹿角灰胎，牛
毛断，金徽余九，红木轸足，紫檀岳尾，似有
腹款，已漶漫不可识。二十世纪五十年代后
入藏故宫博物院。

正面

侧面

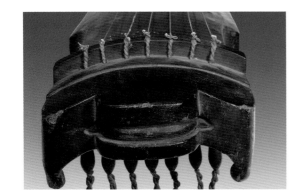

反面

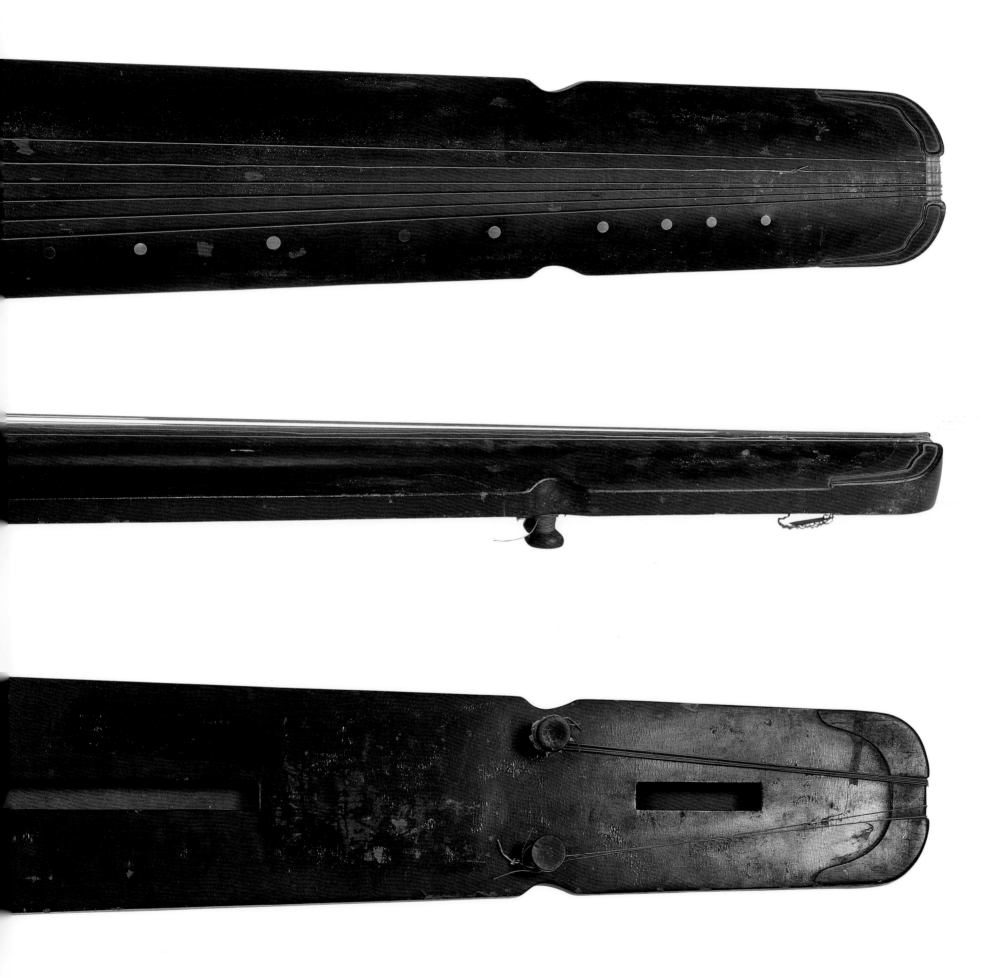

22. 落霞式琴

<u>明代 / 通长 123.7 厘米　隐间 116 厘米　额宽</u>
<u>19 厘米</u>
<u>肩宽 21.5 厘米　尾宽 12 厘米　厚 5.7 厘米</u>

　　落霞式琴，明代制作。清宫旧藏。长圆
池沼。桐木斫，黑漆间有红道，纸地瓦灰胎，
漆灰伤处板上可见刀刻痕迹。蛇腹间牛毛断，
蚌徽，紫檀岳山，紫檀焦尾余一，玉轸足，琴
头伤损严重。

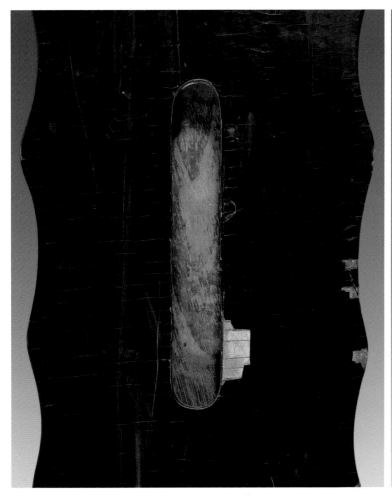

反面

側面

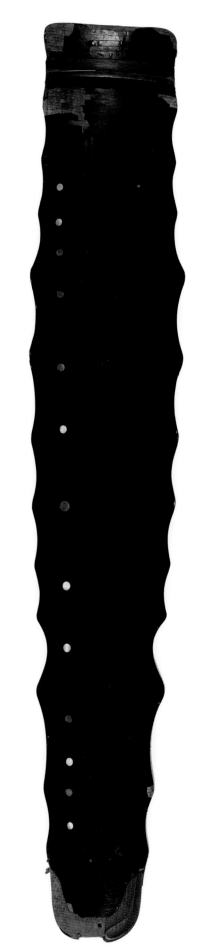

正面

23. "蕉林听雨"琴 蕉叶式

<u>明代 / 通长 124.6 厘米 隐间 113.8 厘米 额宽</u>
<u>16.8 厘米</u>

<u>肩宽 19.2 厘米 尾宽 14.4 厘米 厚 5.1 厘米</u>

"蕉林听雨"琴，蕉叶式，明万历制作。1963 年入藏故宫博物院。此式取像蕉叶，故全器无项翅腰尾之分，叶茎在琴头，故仅一护轸，上下板粘合处为叶边，故亦无明显边墙。明高濂《遵生八笺》云有祝海鹤者取蕉叶为琴之式。明以后古琴图式云此为刘伯温式，兹并存之。

琴桐木斫，黑漆透朱，蛇腹断。金徽，青玉轸足。底由外向内洼下，系二木拼接，其间作叶梗一道，中空。

琴背铭刻，龙池上方刻篆书"蕉林听雨"琴名。池右楷书"庭松疏朗，风和月明，澄神静志，豁然成声。成亲王"并篆书"成亲王"三字小印。池左楷书"沉以神识，发于性灵，天和之感，微音动听。丁丑春诒晋斋又题"并"皇十一子"小印。池下行书"乾坤其气，金玉其声；道德其人，中和其行"，款署"光绪二年新秋"，"左宗棠书"，并篆书"青宫太保"印一。成亲王爱新觉罗·永瑆，乾隆第十一子，别号诒晋斋主人，丁丑乃嘉庆二十二年（1817）。左宗棠晚清名臣，光绪二年即 1876 年。腹内刻款"万历丙辰秋□钱唐王舜臣制"，万历丙辰乃万历四十四年（1616）。

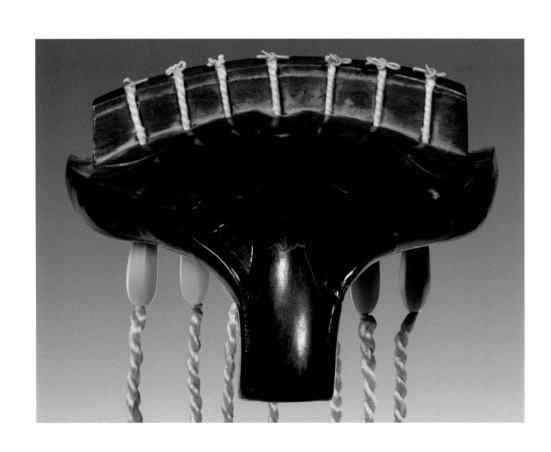

反面

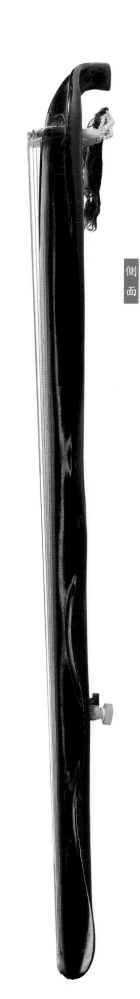

側面

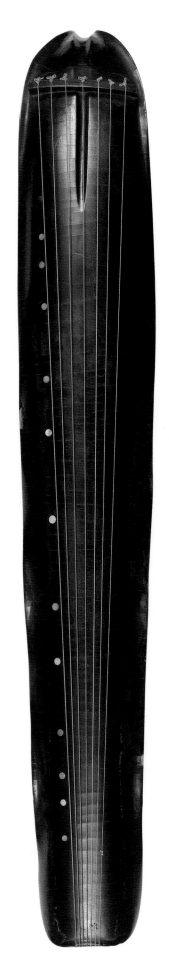

正面

庭松踈朗風和月明澄神
靜志谺然成聲

乾坤其氣金玉其聲

光緒二年新秋
成親王製

沉以神識發於性靈天和
道德其人中和其行

之感微音動聽

盧宗棠書

蕉林
聽雨

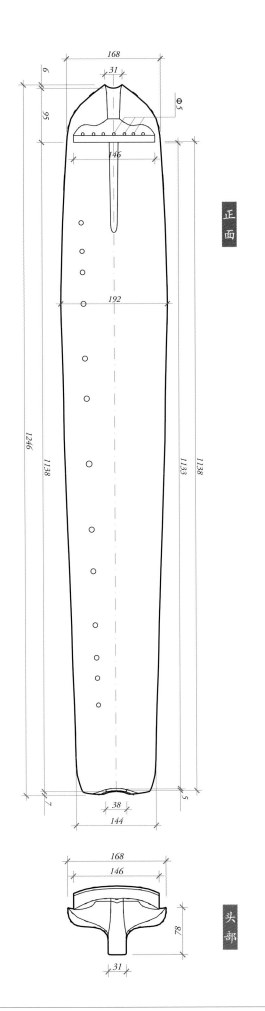

正面

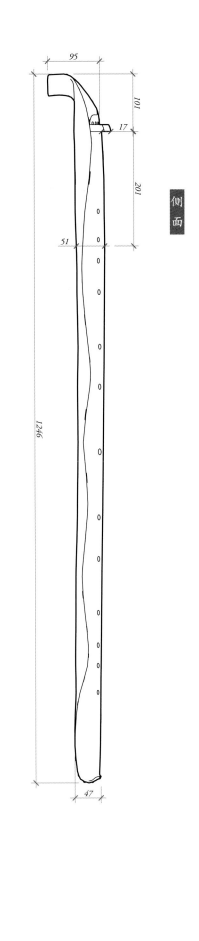

側面

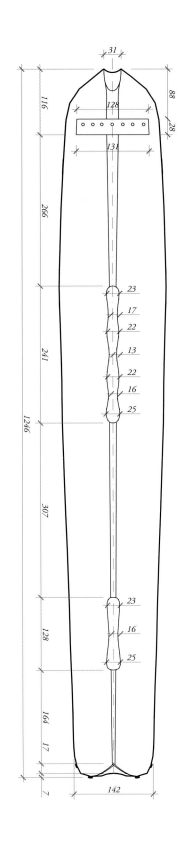

背面

头部

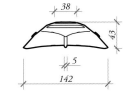

尾部

琴头顶点位置

距琴头顶点

119.5毫米

距琴头顶点

329毫米

距琴头顶点

518.5毫米

距琴尾顶点

364毫米

距琴尾顶点

216.5毫米

距琴尾顶点

100毫米

距琴尾顶点

47.5毫米

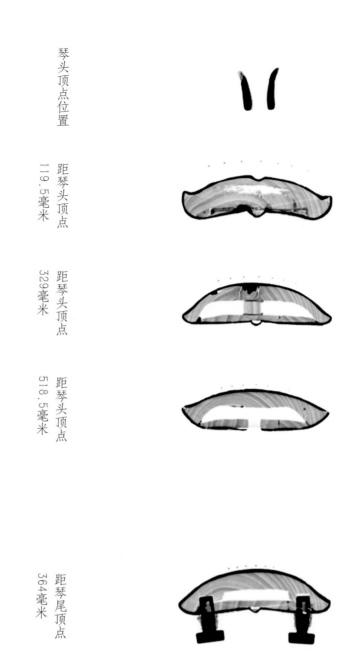

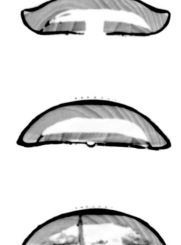

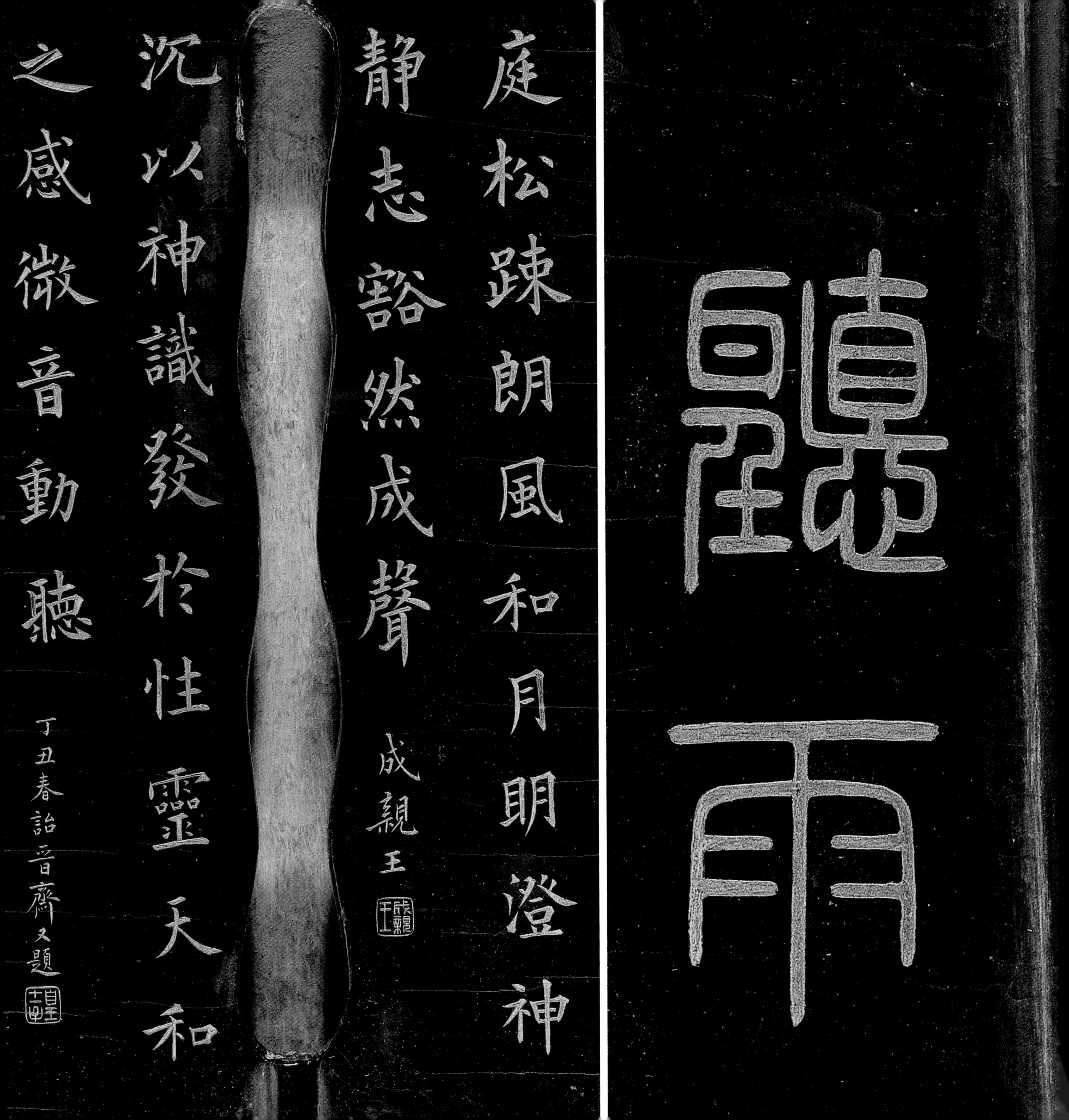

聽雨
庭松踈朗風和月明澄神
靜志豁然成聲
成親王
沉以神識發於性靈天和
之感徵音動聽
丁丑春詒晉齋又題

乾坤其氣金玉其聲

光緒二年新秋

道德其人中和其行

左宗棠書

24. "天风环佩" 琴 仲尼式

明代 / 通长 121.9 厘米　隐间 113.2 厘米　额宽
18.3 厘米

肩宽 19.8 厘米　尾宽 14 厘米　厚 6.1 厘米

"天风环佩" 琴，仲尼式，明万历制作。
二十世纪五十年代后入藏故宫博物院。桐木
斫，黑漆，牛毛断，蚌徽，枣木岳尾，犀牛角足，
护轸缺一。

琴背铭刻，龙池上方刻行楷 "天风环佩"
琴名。池左右行书琴铭："韵协箫韶雏凤朝鸣
阿阁静，声铿球璧幼猿夜啸蜀山幽。" 池下方
大圆印篆书 "益藩雅制"，边作龙纹，其下大
方印 "闲邪存诚"。

腹内右刻 "大明万历陆年岁在戊寅仲春
之吉"，左刻 "益藩潢南获古桐梓命工雅制"，
"戊寅" 即万历六年（1578）。沼右刻 "委官
新安碧□"，沼左刻 "潘□考古督制"。系所
谓益王琴。

正面

侧面

反面

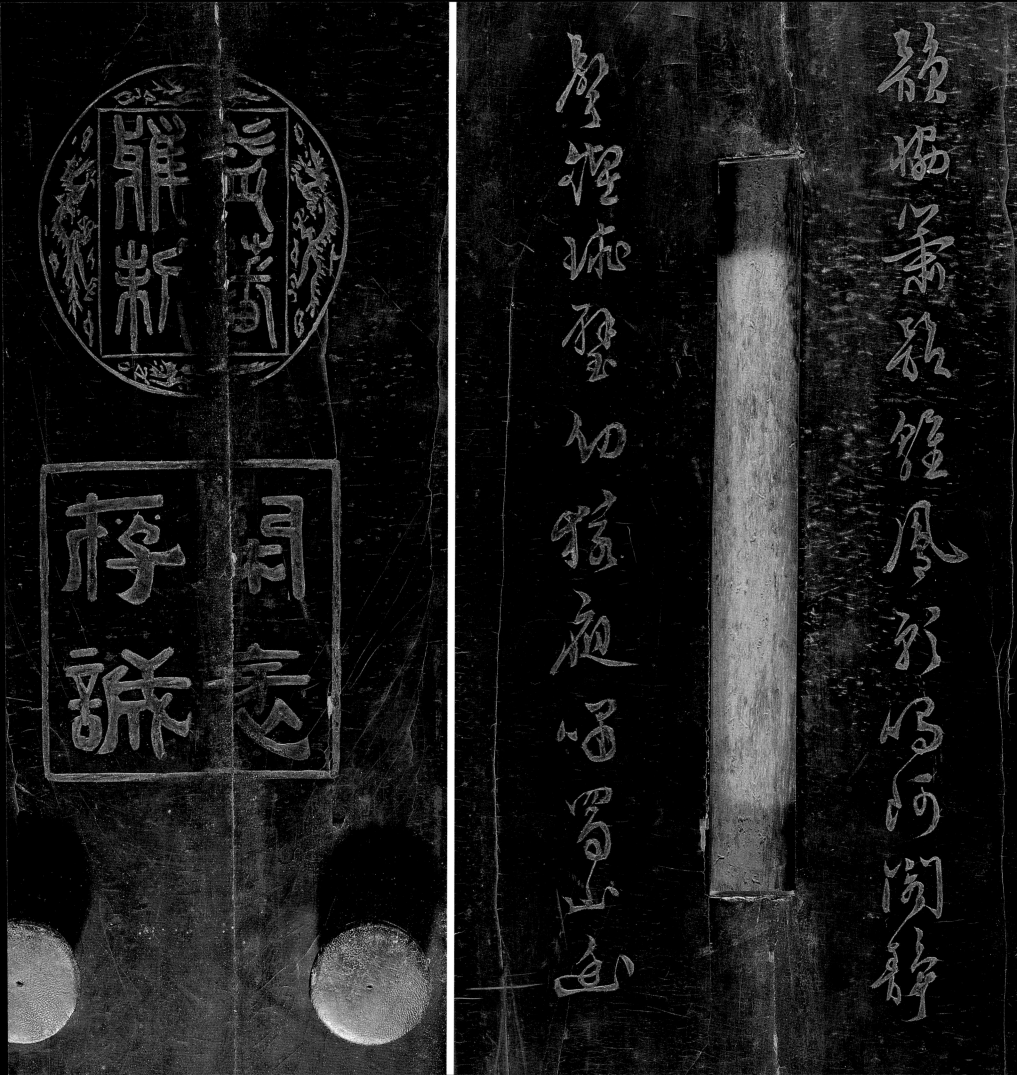

韻磬簫韶雌鳳鳴於閑靜

聲遲瓈聲切猿庭湎寫幽虚

25. "古杲华"琴 蕉叶式

明代 / 通长 121.2 厘米　隐间 113.1 厘米　额宽
4.5 厘米
肩宽 7.5 厘米　尾宽 12.3 厘米　厚 5 厘米

"古杲华"琴，蕉叶式，明晚期制作。清宫旧藏。桐面，无底，黑漆微现紫色，八宝灰胎。梅花间牛毛断，梅花断系假断。蚌徽，青玉轸，紫檀岳尾。蕉叶式琴出现于明代，无底蕉叶自然不可能早于明。

琴面板背部一梗隆起，左上刻"高氏房山珍藏"印一方，印下刻隶书琴名"古杲华"，右上乾隆御题："梅花为文桐为身，梅桐琴耶谁主宾？何人斫此甘蕉形，大珠小珠丁晨星。空山一鼓风泠泠，洞庭始波归仙耕。无声凤哕琴有灵，筝琶之耳净者听。乾隆御题。"钤"御赏"长方小印。其下左右直抵足下刻汪由敦、张若霭、陈邦彦、董邦达、梁诗正、励

宗万、裘曰修琴铭，填以五色。其琴铭分别为："泉响兮空山流，素月兮娟娟。疏枝横兮缀冰玉，冷香池兮洗烦缛。至人兮愔愔，窅然即兮深林。醞元和兮太古音，盎初韶兮天地心。臣由敦。""梧桐有声万籁寂，梅花为衣香在壁。成连一鼓足移情，不是江城五月笛。臣若霭。""龙门质，庾岭音。雷家斫，林氏吟。江城落，暗香侵。清且和，太古心。挥弦动操，是为解愠之琴。臣邦彦。""云和龙门，孤桐易贡。缀以五弦，符彼三弄。疏影暗香，手挥目送。解愠瑶轩，律谐鸣凤。臣邦达。""独倚寒林，群芳未茁。霜月愁挂，冰泉响答。中含古春，清和宛结。试操三叠想情移，应悟

空山多雨雪。臣梁诗正。""泠泠古音，见天地心。五弦五出，并贮清襟。妙香静寄，指上可寻。春和万籁，调兹舜琴。臣宗万。""高山非山，流水非水。拈花无言，挥弦自理。明月入怀，凉飚拂指。写自在心，契清净旨。忽闻古香，不同凡卉。绿萼横窗，素英在几。如睹幽姿。如对逸士。元音希声，悠然太始。臣裘曰修。"铭末"陆树声藏"印，琴尾右角"句曲外史"印。"句曲外史"即元张雨号，此并元高氏房山、明陆树声印均系伪刻，应在该器入宫之前所为。

反面

側面

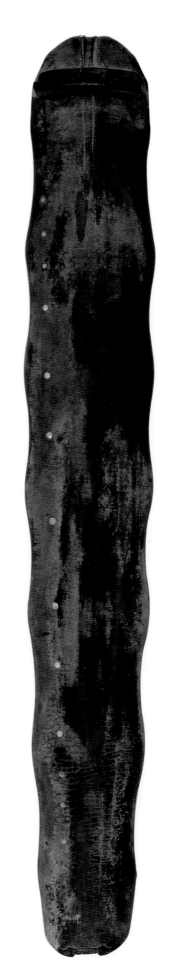

正面

古梅半

梅花為文桐為身梅桐琴耶誰主賓何人
斷此甘蕉形大珠小珠丁晨星空山一鼓
風冷洞庭始波歸仙軒無聲鳳噦琴有
靈筆琶之耳淨者聽　乾隆御題

【御賞】

獨倚寒林羣芳未茁霜月愁
挂冰泉響答申舍古春清和
宛結試掾三疊想情移應悟
空山多雨雪　臣梁詩正

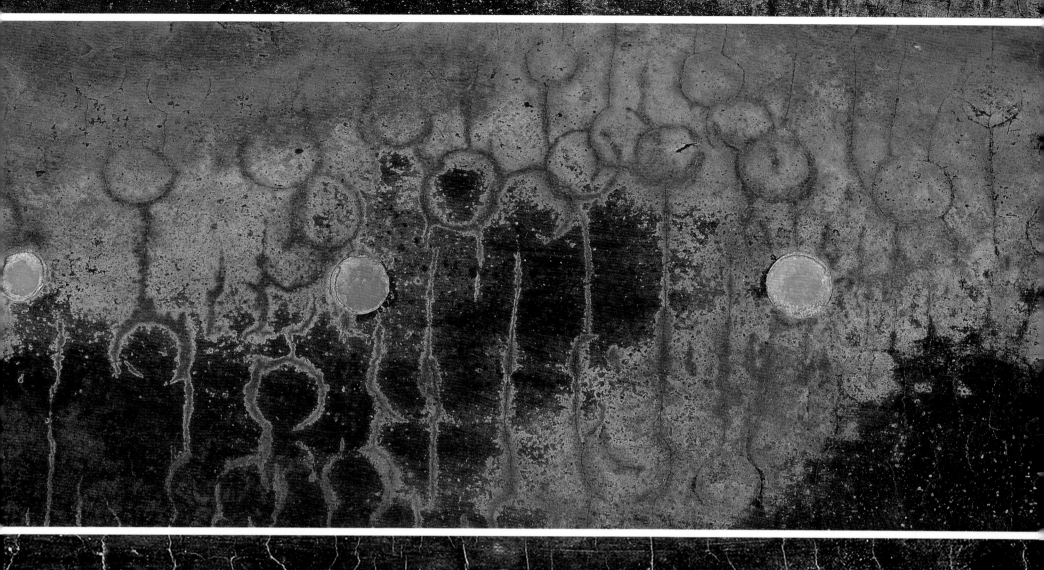

梧桐有觳萬籟寂果華為衣香
在肆成連一鼓足移精不是江
城五月笛
臣若靄

泠泠古音見天地心
五絃五出益貯清
襟妙香靜寄指上
可尋春和萬籟調
益彝琹 臣宗萬

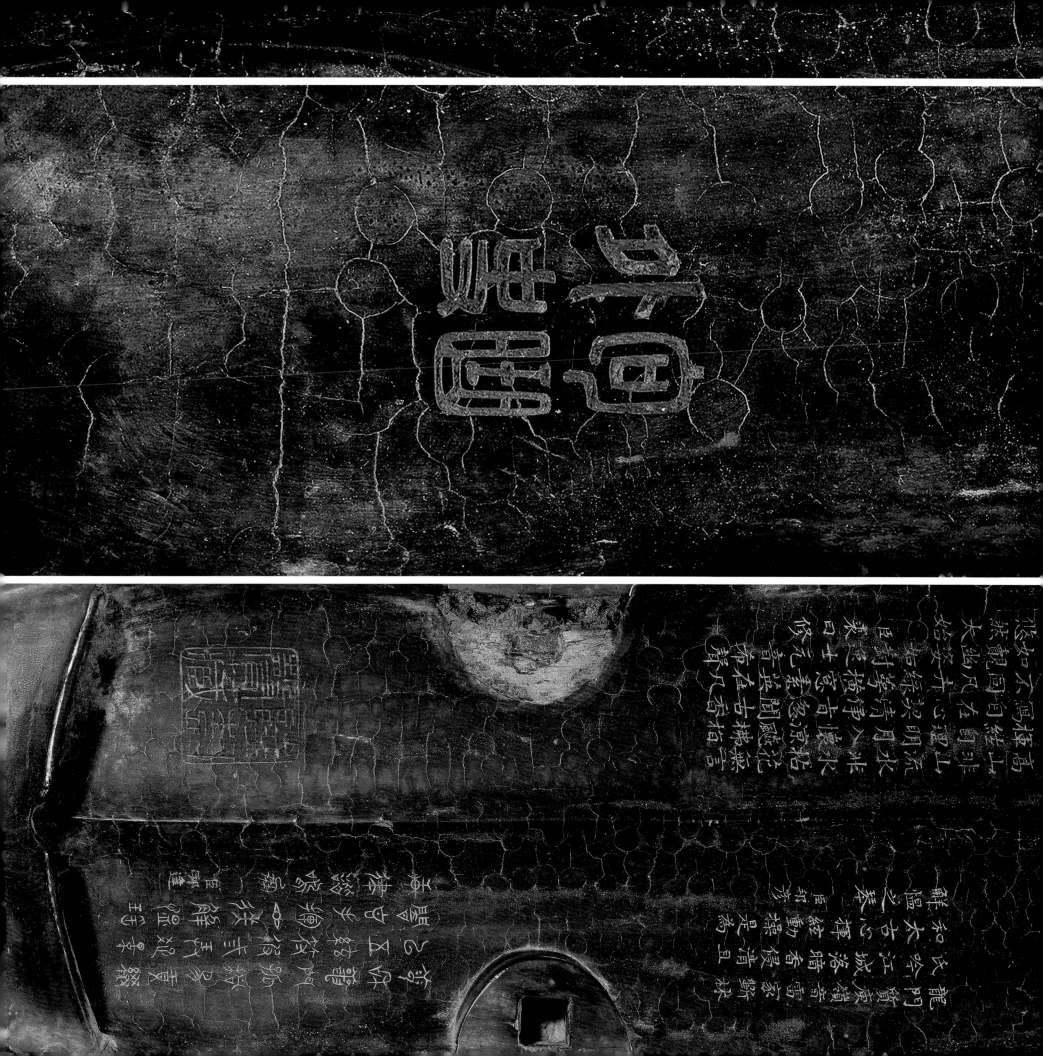

26. "峨嵋松" 琴 仲尼式

明代 / 通长 120.7 厘米 隐间 112.1 厘米 额宽 17.1 厘米

肩宽 18 厘米 尾宽 13.2 厘米 厚 5 厘米

"峨嵋松" 琴，仲尼式。明晚期制作。清宫旧藏。形制如常。唯面、底及池沼用可及处均以紫檀木裁为龟纹样贴于桐木上，每块最长处约 5.5 厘米，宽约 2.5 厘米，厚约 0.2 厘米。长方池沼及轸池亦以紫檀贴格。琴额底部及周边则于鹿角灰胎上施黑漆。发小蛇腹断。紫檀岳尾，轸足与护轸俱失，凤舌系另作镶嵌。金徽余三。

按此即所谓假百衲之一式。唯以檀木为之，尚属罕见。明屠隆《遵生八笺》云："又如百衲琴者，亦近制也……今制则者以龟纹锦片，错以我朝象牙香料杂木，嵌青为文，铺满琴体，名曰宝琴。" 此琴亦其流亚。

琴背铭刻，龙池上方横刻隶书填青 "峨嵋松" 琴名，其下填朱 "乾隆御赏" 方印。池上下右有直抵双足刻注由敦、励宗万、陈邦彦、梁诗正、张若霭、董邦达、裘曰修琴铭，填以五色。其琴铭分别为："峨嵋之松

高百尺，老龙鳞，冻蛟脊，摩青霄，伏虎魄，天风来，生两腋，涛声淙淙合音节，戛不鸣，山月白。臣由敦。" "峨嵋半天，松韵戛然。静言和之，南薰之弦。臣励宗万。" "峰阳孤桐，蚕丛高松。弦中蜀韵，调徽秦封。风生万壑，青出千峰。悠悠余韵，谡谡朝宗。曲终人远，何必抚筇。" 臣邦彦。" "三峨古雪明云峰，虹枝偃蹇冰团封。风涛天半锺谹钟。雅韵写入清弦中。臣诗正。" "清晖相照，空翠袭衣。一弹再鼓，猿吟鹤飞。水流花开天风微。臣若霭。" "峨嵋顶，松虬然。声谡谡，天籁全。谁其似，蜀国弦，清风发，逸韵宣。金徽转，雅调传。欲相赏，山之巅。臣邦达。" "万药俱息涛起空，是何曲调流净淙。六月不热生凉风，谡谡如卧深山中。绿阴障天望不穷，其巅疑有积雪封。人间此景何由逢。炎歊正剧愁未红，试来静听峨嵋松。臣裘曰修。"

反面

側面

正面

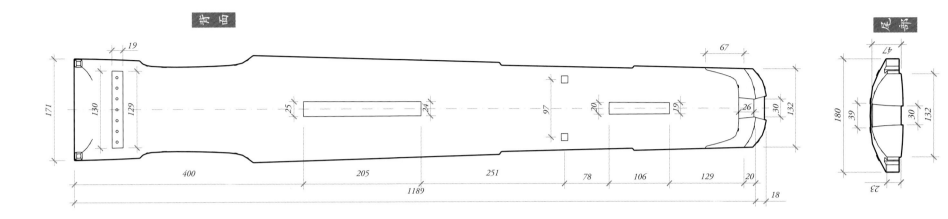

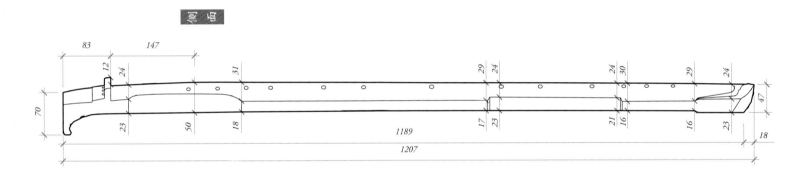

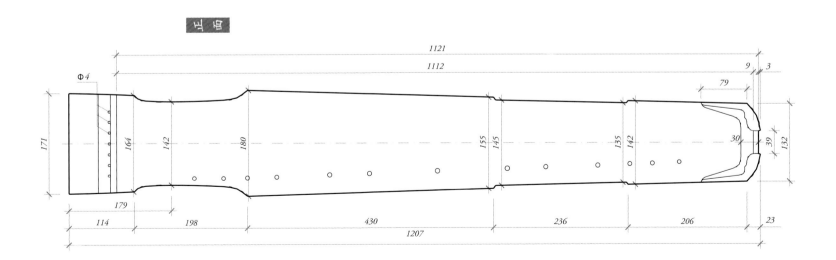

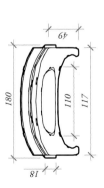

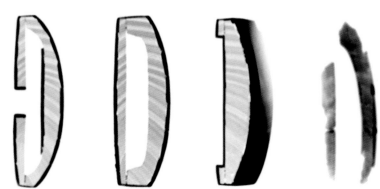

琴头顶点位置

距琴头顶点
81.5毫米

距琴头顶点
286毫米

距琴头顶点
482毫米

距琴尾顶点
354.5毫米

距琴尾顶点
211毫米

距琴尾顶点
90.5毫米

距琴尾顶点
45毫米

嵨嶕松　乾隆御賞

嶧陽孤桐蠡業高松絃
中蜀嶺調重秦封風生
萬壑青出千峯悠餘
韻謖謖朝宗曲終人遠
何必扶節
臣邦彥

峨嶕頂松虬然聲謖謖天
籟全誰其似蜀國絃清風
嶕逸韻宣金徽轉雅諧傳
欹相賞巡之巔
臣邦達

萬竅俱息濤起空是何曲
調流琤琮六月不熱生涼
風謖謖如臥深山中綠陰
陣天望不窮其巔疑有積
雪封人間此景何由逢炎
歊正劇愁頓紅試來靜聽
嵨嶕松
臣裘曰修

三栽古雪朙雲峯虹
枝偃蹇冰圍封風濤
天半鏗通鍾雅韻寫
入清絃中
臣博正

峨嶕业松高百
弓岑籟鱗煉飲
紫廛青零倰虎
魄天屚來生典
次隤聲淙上
晉籥夏不鳴
山合
臣由敦

清暉相暎空翠襲衣
然静言和之南薰
一彈再鼓漾吟鸑飛
之絃
臣廠宗萬

嵨嶕半天松韻憂
水流琴開天風微
臣若靄

27. 仲尼式琴

明代 / 通长 120.5 厘米　隐间 112.7 厘米　额宽 17 厘米

肩宽 19.6 厘米　尾宽 14 厘米　厚 5.9 厘米

　　琴为仲尼式，明晚期制作。二十世纪五十年代以后入藏故宫博物院。桐木斫，黑漆，八宝灰胎，面大蛇腹断，底小蛇腹间牛毛断。蚌徽，青玉轸足，紫檀岳尾。

　　琴极沉重，板厚膛小，与天启崇祯时潞王"中和"琴之髹漆工艺相类。民国时北京琴界所谓"潞祖"者，可视为同时或稍早物。有腹款而漫漶不清。

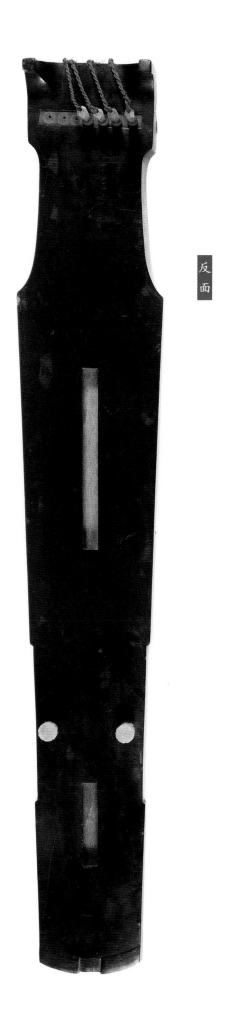

反面

側面

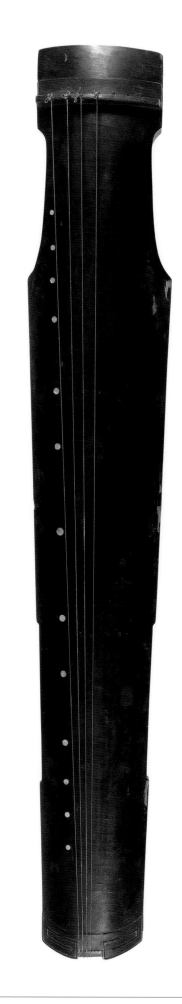

正面

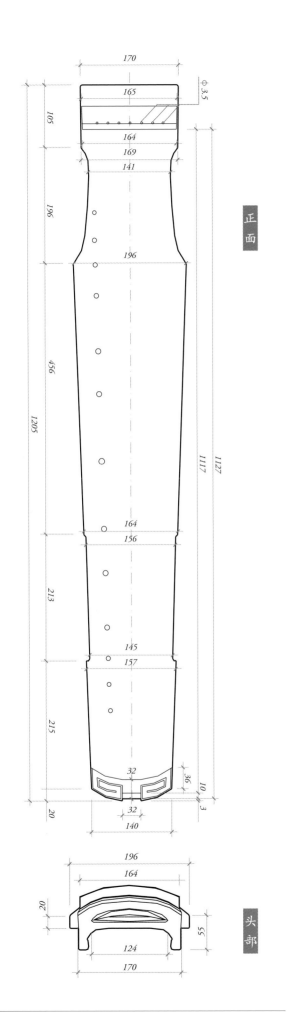

正面

头部

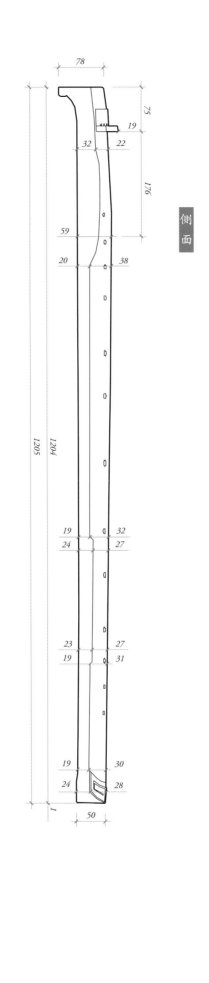

側面

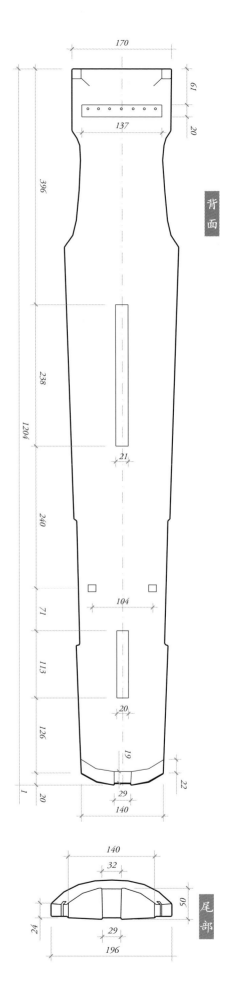

背面

尾部

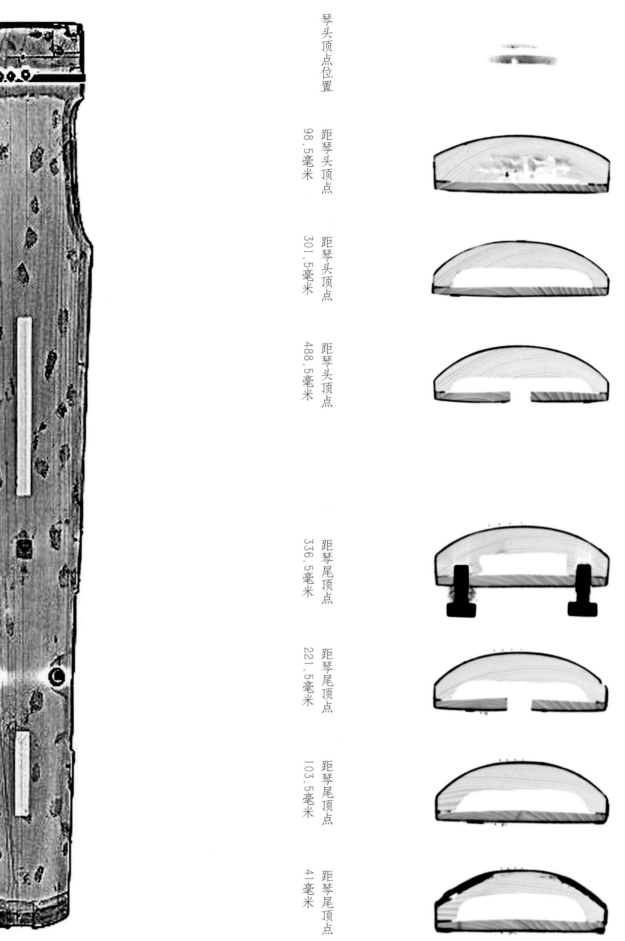

琴头顶点位置

距琴头顶点
98.5毫米

距琴头顶点
301.5毫米

距琴头顶点
488.5毫米

距琴尾顶点
336.5毫米

距琴尾顶点
221.5毫米

距琴尾顶点
103.5毫米

距琴尾顶点
41毫米

28. 仲尼式琴

明代 / 通长 119 厘米　隐间 111 厘米　额宽
16.9 厘米

肩宽 19 厘米　尾宽 12.2 厘米　厚 5 厘米

　　琴为仲尼式，明晚期制作。清宫旧藏。
桐木斫，黑漆，瓦灰胎，牛毛断，发断稀少。
金徽，花梨岳尾。

　　琴背无铭刻，龙池内墨书楷字"大明崇
祯壬午年，御用监太监胡喜谏制"。"崇祯壬
午"即崇祯十五年（1642），距甲申年仅二
年。沼内"冠带儒士易希举斫"。可见当时宫
中太监也请人为之制琴。

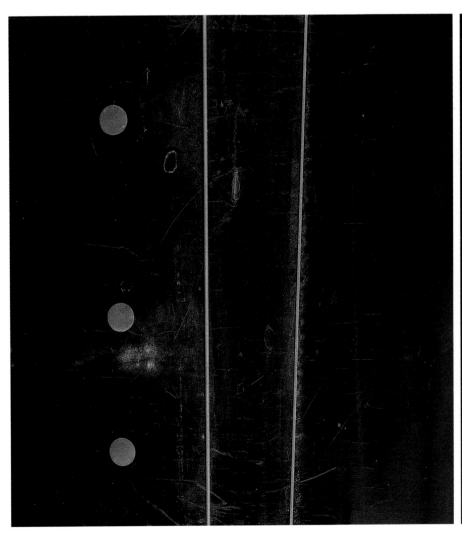

反面

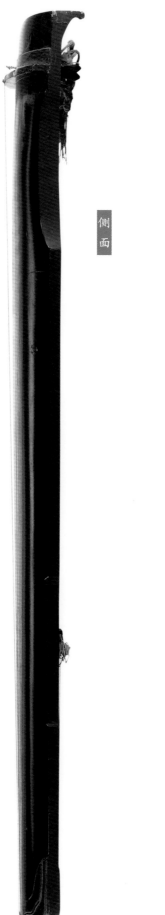

側面

正面

29. "云外钟声"琴 仲尼式

清代 / 通长 121.9 厘米　隐间 113.1 厘米　额宽

17.1 厘米

肩宽 19 厘米　尾宽 13.4 厘米　厚 5 厘米

　　"云外钟声"琴，仲尼式，清初制作。二十世纪五十年代后入藏故宫博物院。池沼有贴格，桐面楸梓底。黑漆微透暗红。瓦灰胎，牛毛间冰纹断，发断稀少。蚌徽，白玉轸余三枚，断足一，紫檀岳尾，护轸缺失。

　　琴背铭刻，龙池上方刻行草书"云外钟

声"琴名。琴名下方篆字"□入吾家宝"。池左右刻行书琴铭："唐代挂钟桐，明时伴瘦翁。调高谁共语，山月与松风。"池下篆文"唐代钟桐"大印一方。"钟桐"未可稽考，或即此琴取材某唐代钟楼挂梁。

30. 仲尼式琴

清代／通长 124.8 厘米　隐间 116.2 厘米　额宽 17.2 厘米

肩宽 18.3 厘米　尾宽 13.2 厘米　厚 5 厘米

琴为仲尼式，清初制作。清宫旧藏。面底木质一致，似为楸梓一类。黑漆，纸地鹿角霜胎。琴面蛇腹间牛毛断，发断极轻浅，底无断。蚌徽。花梨岳尾，余乌木足一，乌木、紫檀轸各一。面有弦痕，可见当年使用较多。龙池内右侧墨写楷书款"南昌涂闿生制"。

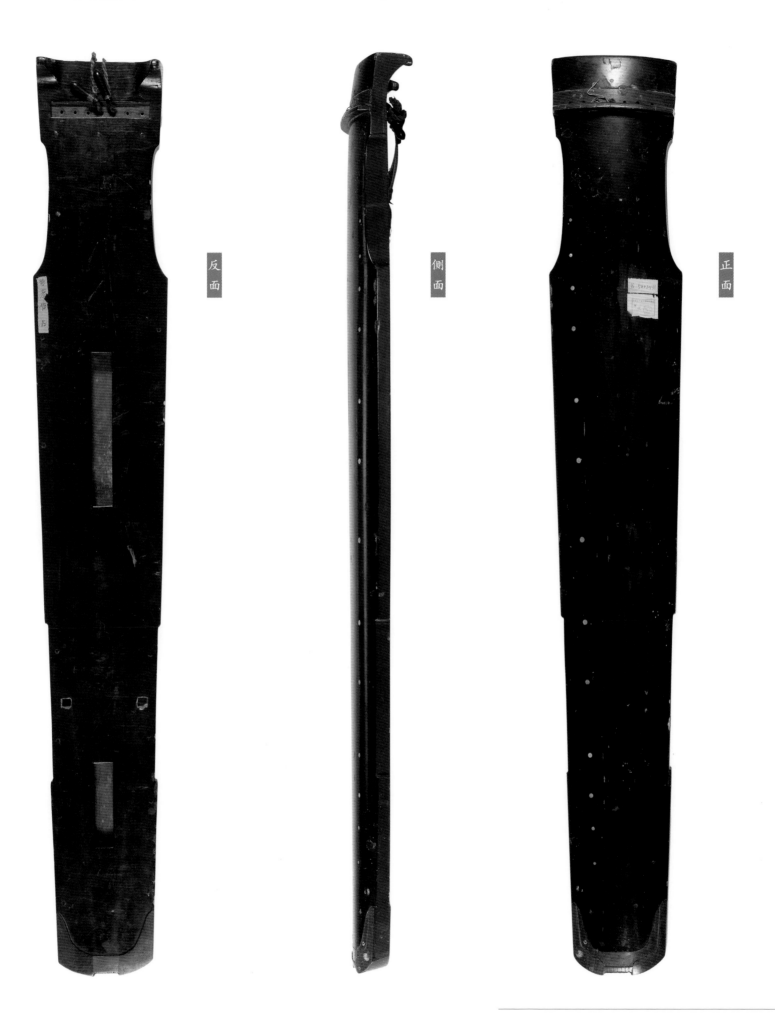

反面

側面

正面

31. "万壑松涛" 琴 仲尼式

清代 / 通长 124.5 厘米　隐间 116.6 厘米　额宽 17.4 厘米

肩宽 19.2 厘米　尾宽 13.3 厘米　厚 5.5 厘米

　　"万壑松涛" 琴，仲尼式，清初制作。清宫旧藏。长方池沼，池沼有贴格，纳音微隆。桐木斫，黑漆略透黄褐，纸地鹿角灰胎。蛇腹间牛毛断，发断极轻浅。金徽余九枚，紫檀轸余三枚，双足俱失，护轸亦无，尾部仅存尾托一。

　　琴背铭刻，龙池上方刻篆书 "万壑松涛" 琴名，下有钟鼎文 "保合太和" 大印一方，左右刻隶书琴铭 "通神明之德，合天地之和" 凤沼左刻楷书 "臣涂居仁恭进"。按涂居仁，江西、南昌等地方志俱有传。

　　池内有墨写楷书款 "南昌涂闿生制"。江西涂氏为明时斫琴名家。明初即制琴，嘉靖万历时尤盛。

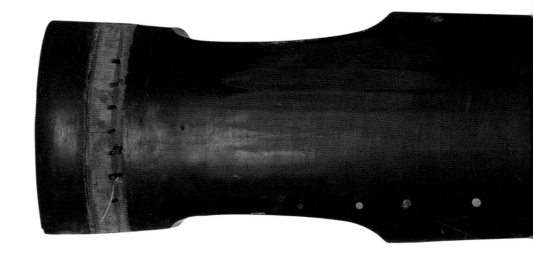

正面

侧面

反面

異飼松情

通神明之德

合天地之和

臣

澐

居

今

恭

32. "流泉"琴 凤势式

清代／通长 109 厘米　隐间 101 厘米　额宽 15.5 厘米

肩宽 16.9 厘米　尾宽 11.8 厘米　厚 4.2 厘米

　　"流泉"琴，凤势式，清代制作。清宫所遗。池沼有贴格。桐木斫，黑漆，瓦灰胎，牛毛断。蚌徽，红木岳尾，红木轸，青玉足。

　　琴背铭刻，龙池上方刻楷书贴金大字"流泉"琴名。全器尺寸短小，小琴形制，窄而耸，腰亦短杀，故而比例不甚协调。护轸向内卷曲，焦尾向上凸起甚多，形制不够规范。

反面

側面

正面

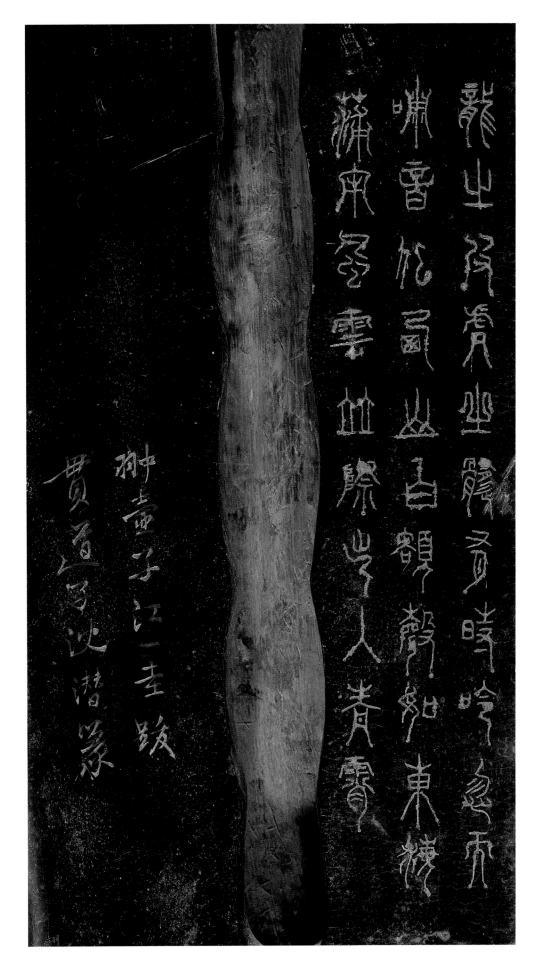

33. "飞龙"琴

<u>清代 / 通长 123.6 厘米　隐间 112.8 厘米　额宽</u>
<u>14.7 厘米</u>

<u>肩宽 18.4 厘米　尾宽 12.8 厘米　厚 5.5 厘米</u>

　　"飞龙"琴，为清宫所遗。琴式较为奇特，
或系道家物。面底周边包括焦尾俱浮刻云纹
样，尤其从侧面图片，可以清楚判定制作者
欲取像龙形。桐面梓底，黑漆，鹿角灰胎，牛
毛断。仅余木足一。

　　琴背铭刻，池上大书篆文"飞龙"琴名。
池右刻填绿篆书琴铭"龙之皮，虎之髓，有时
吟，忽而啸，音化西山白额，声如东海蒲牢，
风云并际分入青霄"，池左填红行书落款"䎃
壶子江一圭跋，贯道子沈潜篆"。池下大红篆
印"平江贯道子整"、"䎃壶子藏"。池内两侧
红字"嘉庆己未无射月重整，平江贯道子沈
潜传斲"。嘉庆己未即嘉庆四年（1809）。

反面

側面

正面

34. 仲尼式琴

<u>清代 / 通长 120.8 厘米　隐间 112 厘米　额宽</u>
<u>17.3 厘米</u>
<u>肩宽 19.7 厘米　尾宽 14.5 厘米　厚 5.5 厘米</u>

　　琴为仲尼式，清代制作。清宫所遗。桐
面杉底。黑漆，纸地瓦灰胎。偶有发断，蛇
徽。琴面底已开裂成两片，底板轸池以上缺
失。紫檀岳尾，存岳山、龙龈及半个焦尾一，
木轸全，足余一。龙池内墨写楷书款"金陵
易少山斲"。

反面

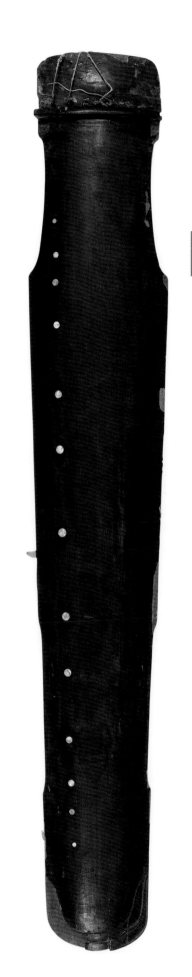

正面

35."残雷"琴 落霞式

<u>清代 / 通长 118.8 厘米 隐间 110 厘米 额宽</u>
<u>17.3 厘米</u>
<u>肩宽 18.2 厘米 尾宽 12 厘米 厚 4.5 厘米</u>

"残雷"琴，落霞式，清末制作。二十世纪五十年代入藏故宫博物院。琴背作圆形池沼，池沼贴格向外高出。面底皆桐，退光漆，瓦灰胎，无断，蚌徽，牛角轸足，轸缺一。承露刻梅花样，焦尾刻灵芝样。

琴背铭刻，龙池上方刻大字楷书填绿"残雷"琴名，琴名下刻行书琴铭："破天一声挥大斧，干断柯折皮骨腐，纵作良材遇已苦。遇已苦，呜咽哀鸣莽终古。谭嗣同

作。"又有"壮飞"红印。池内纳音隆起极高，绕圆形龙池写楷书"浏阳谭嗣同复生甫监制霹雳琴第式光绪十六年"。按光绪十六年即1890 年，距谭嗣同身殉变法八年。据云谭嗣同十六岁时，雷劈其宅梧桐，因以制琴两张，名"崩霆""残雷"。腹款"霹雳琴"乃云其材雷劈也，非霹雳式。"残雷"琴乃其戚属所捐赠，虽非里手之制，唯以烈士遗物，故珍重收藏之。

破天一聲揮大斧
斡斲柯折皮膚扁
緵作良材遇己若
遇山若鳴咽聲鳴
茶終古
禪閣門作

反面

側面

正面

二　观赏琴

1. 错金银纹铜琴 递钟式

明代／通长 117.8 厘米　隐间 109 厘米　额宽
16.7 厘米

肩宽 17.5 厘米　尾宽 12.6 厘米　厚 6.5 厘米

　　琴为递钟式，明代制作。清宫旧藏。长
方池沼，与"凤管秋声"错银纹铜琴工艺极
似，同时物也。蚌徽，青玉足余一。琴面底错
金银纹饰皆满，为观赏琴精品。

反面

侧面

正面

2. "凤管秋声"错银纹铜琴 仲尼式

明代 / 通长 117.5 厘米　隐间 105 厘米　额宽
15.8 厘米

肩宽 17.3 厘米　尾宽 12.6 厘米　厚 5.5 厘米

　　"凤管秋声"铜琴，仲尼式，明代制作。
清宫旧藏。长方池沼，黄铜色，金徽，鎏金岳
尾，红木轸余四。琴两侧錾串枝灵芝，鎏金
边，作连续灵芝纹。琴面中间错银当为八宝，
两边错花蝶、杂宝。岳下错银两个"卍"字，
额上错五岳真形图。

　　琴背龙池上方鎏金篆书"凤管秋声"琴
名。池下鎏金"寿世之宝"篆字大印。

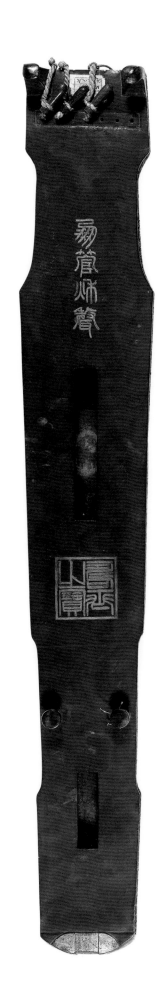

反面

側面

正面

3. 仲尼式铜琴

<u>明代 / 通长 119.2 厘米　隐间 110.7 厘米　额宽</u>
<u>17.3 厘米</u>

<u>肩宽 17.6 厘米　尾宽 13 厘米　厚 4.8 厘米</u>

　　琴为仲尼式，明代制作，清宫旧藏。有绿
铜锈。长方池沼，蚌徽，铜足，紫檀轸余三。
池内右侧铸阳文款"万历丁亥仲春吉旦"，亦
即万历十五年（1587）。

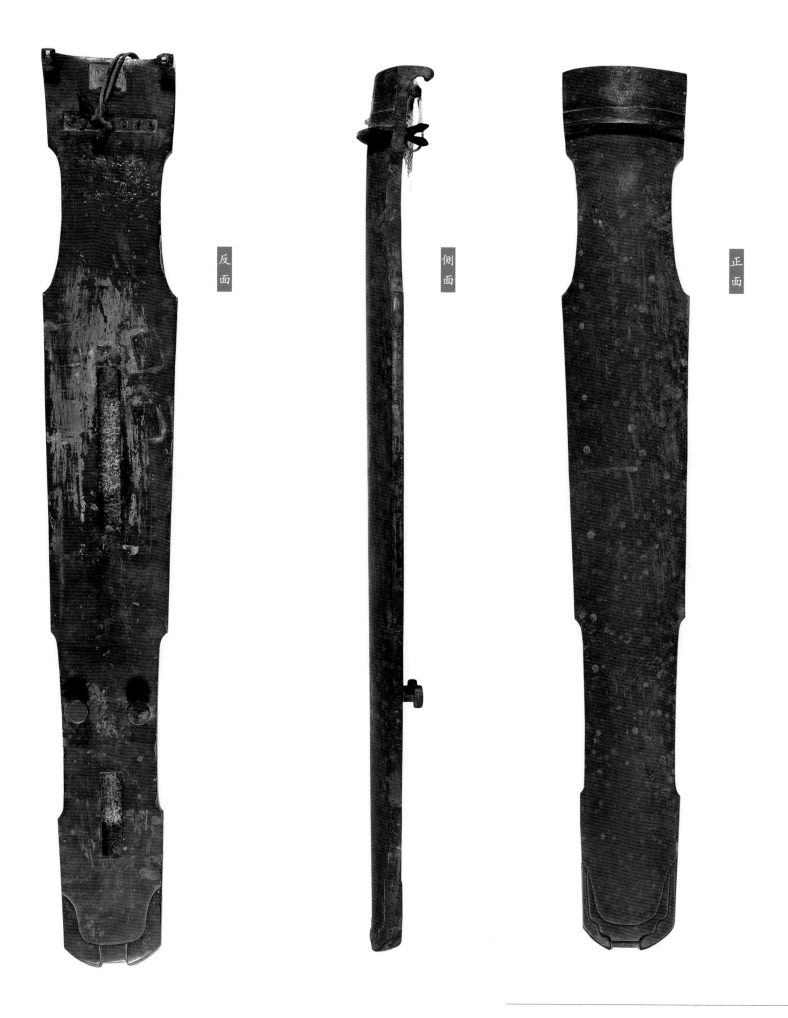

反面　　　侧面　　　正面

4.“玉泉”铜琴 仲尼式

<u>明代 / 通长 115.5 厘米　隐间 107.2 厘米　额宽</u>

<u>17.1 厘米</u>

<u>肩宽 18.5 厘米　尾宽 11.9 厘米　厚 5 厘米</u>

　　“玉泉”铜琴，仲尼式，明代制作。清宫旧藏。长方池沼，黄铜色，金徽，青玉轸足，正黄琴穗。

　　琴背铭刻，琴背龙池上方小篆“玉泉”琴名。池下鎏金篆书琴铭：“王孙位将相，侃侃持正议。荣显非所耽，自号幽清士。平生善鼓琴，雅尚还自制。范铜成兹器，岁月犹亲志。置弦一攫醳，玉泉声尚沸。因忆响泉磬，丰剑今何寄。重人匪重物，望古兴遐思。

乾隆庚午仲秋御题。”并朱文“几暇临池”印，白文“得佳趣”印。按庚午乃乾隆十五年（1750），《御制诗集》收有此诗《题李勉玉泉琴》。

　　龙池内两侧范有阳文款：“唐肃宗丙申年蕤宾月有八日，咸阳乐幽清士李勉捐奉铸造。”此系伪款，因“唐肃宗丙申年”即“至德丙申”，李亨方即位，不应有其薨后之“肃宗”庙号。

反面

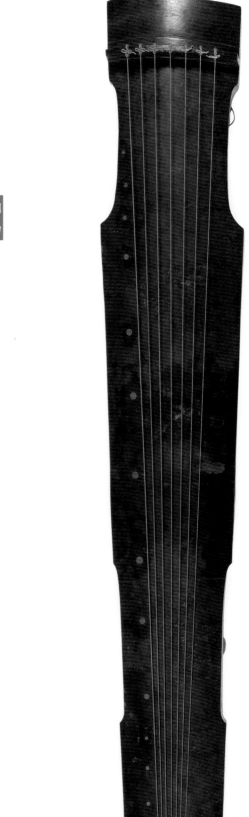

側面

正面

王孫仕孫相係二代正議榮顯非
所號自號幽清士乎生鐘鼓覓雅
尚還古琴於銅成茲器歲夕猶親
識道絃一攫醒玉宗聲彷彿因懷
響宗磬豐劍今何寄重入匣重物
望古興遐思
乾隆庚午年秋御題

幾暇怡情

得佳趣

5. "音朗号钟" 铜琴 仲尼式

明代 / 通长 122.7 厘米　隐间 112.5 厘米　额宽 16.5 厘米

肩宽 18.2 厘米　尾宽 12.4 厘米　厚 4.1 厘米

"音朗号钟"铜琴，仲尼式，明代制作。清宫旧藏。长方池沼，琴髹漆灰胎，漆色红黑，作仿古铜锈，琴面下部已现断纹。岳尾、轸池、凤舌及周围均于铜上涂金。金徽，白玉轸足，素蓝琴穗。

琴背龙池上方隶书"音朗号钟"琴名。池下隶书琴铭："烂铜质，色斑然。缃已

丝，声渊然。谁其制之诸葛君，有才如此嗟炎兴。乾隆御制。"篆印"含英咀华"。所有铭刻均贴金。

有腹款铸以片铜贴于琴腹内，今已脱落，其中腹内文曰："大汉建安十年岁次乙卯二月口日南阳诸葛氏制。"系伪作。

此琴有随形琴箱一只，另收于本书下编。

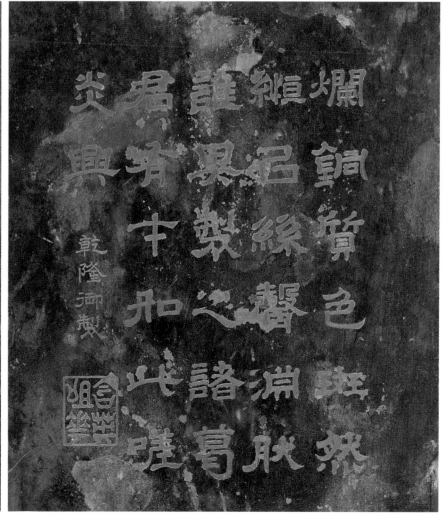

反面

侧面

正面

观赏琴

6. "天籁" 铁琴 仲尼式

明代 / 通长 119 厘米　隐间 111 厘米　额宽
16.8 厘米
肩宽 17 厘米　尾宽 12 厘米　厚 5 厘米

"天籁" 铁琴,仲尼式,明代制作。1952
年入藏故宫博物院。长方池沼,木轸足,徽
余八。全琴锈蚀斑驳。

琴面弧度稍圆,项腰内收较大。承露与
焦尾嵌以金丝纹饰,凤舌乃铜制嵌入琴首者。

琴背龙池上方嵌金丝双勾小篆 "天籁"
琴名,其下嵌金丝小篆 "孙登" 款,并 "公和"

篆印。池下方篆书 "明项元汴珍藏",并嵌银
丝篆书 "墨"、"林" 方形连珠小印及 "子京
父印" 小印。无腹款。项元汴,字子京,号墨
林,嘉靖万历时嘉兴人,精收藏,筑 "天籁
阁" 贮之。

此琴有楠木随形琴箱,另收于本书下编。

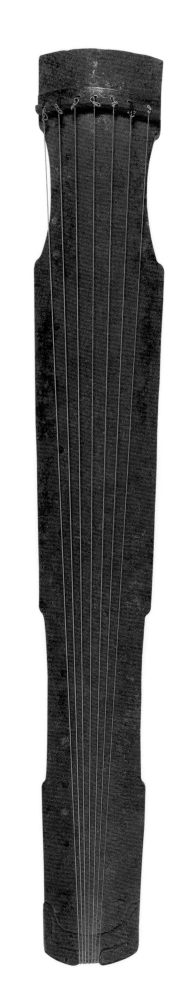

反面

側面

正面

7. 仲尼式铁琴

明代／通长 118.8 厘米　隐间 111 厘米　额宽
17.4 厘米

肩宽 18.6 厘米　尾宽 12.3 厘米　厚 5.5 厘米

　　琴为仲尼式，明代制作。清宫旧藏。长
方池沼，无徽，铁足，青玉轸余二。

　　全琴锈蚀斑驳，较"天籁"铁琴稍扁平，
略宽。形制风格大体相类，大致是同时代物。

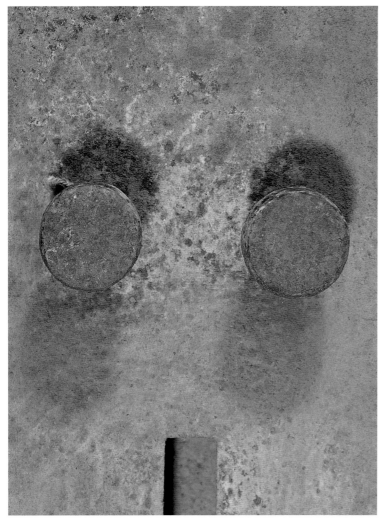

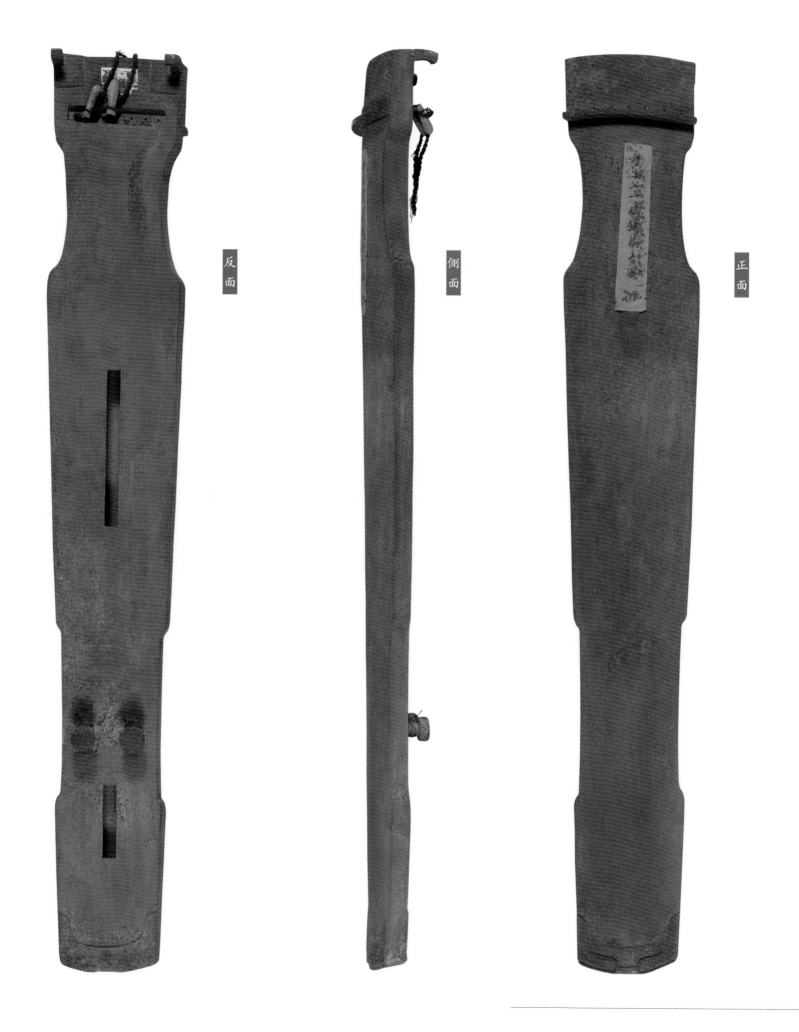

反面

侧面

正面

观赏琴

8. 仲尼式石琴

明代 / 通长 117.4 厘米　隐间 107.5 厘米　额宽
18.2 厘米
肩宽 19 厘米　尾宽 13.2 厘米　厚 6.2 厘米

　　琴为仲尼式，明代制作。清宫旧藏。长
方池沼，琴为青石所制，上下两块相扣，形制
极其规矩，于御苑陈设最为相宜。无徽，其位
置为浅圆坑，鸡翅木轸足，护轸俱失。

正面

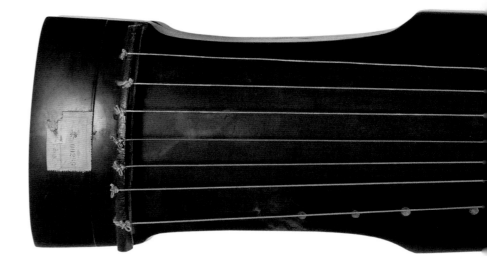

侧面

反面

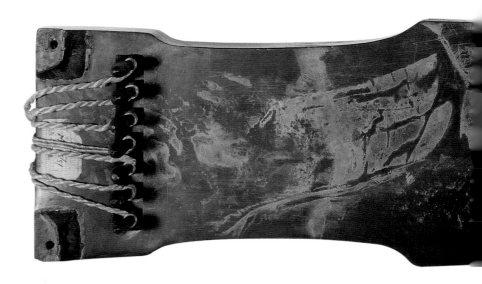

9. 仲尼式石琴

明代 / 通长 114.6 厘米　隐间 106 厘米　额宽
15.3 厘米

肩宽 17.5 厘米　尾宽 11.8 厘米　厚 5.5 厘米

　　琴为仲尼式，清代制作。清宫所遗。长
方池沼，青石所制，上下两块相扣，蚌徽，
鸡翅木轸足，足与护轸均缺一。

　　琴背铭刻，龙池上方刻回纹花边篆文方
印，似为"辽天风"，池下刻花边圆印，似
为"太吉"，皆字体古怪难以辨识。池沼窄不
容指，琴形制亦失度。

侧面

反面

10. 金漆花鸟琴 仲尼式

清代 / 通长 113.5 厘米　隐间 106.5 厘米　额宽 16.8 厘米

肩宽 17.5 厘米　尾宽 13.8 厘米　厚 4.5 厘米

　　琴为仲尼式，清代制作。清宫旧藏。长方池沼，桐面梓底，黑漆，砖瓦灰胎。金徽余五。檀木岳尾，龙龈与一焦尾失缺。青玉轸足，轸缺一。蓝琴穗。

　　琴面底均为东洋莳绘花鸟装饰，共绘三组。细弦一侧花丛底部山石以漆堆砌隆起并施金粉，有碍弹奏，又有鸟蝶飞翔花丛之上。琴侧面一圈金漆花心古钱纹，凤舌涂金，额上绘一四爪金龙。其艺术风格应为东洋制作。池内左右均有款，已漶漫不清。

反面

側面

正面

观赏琴

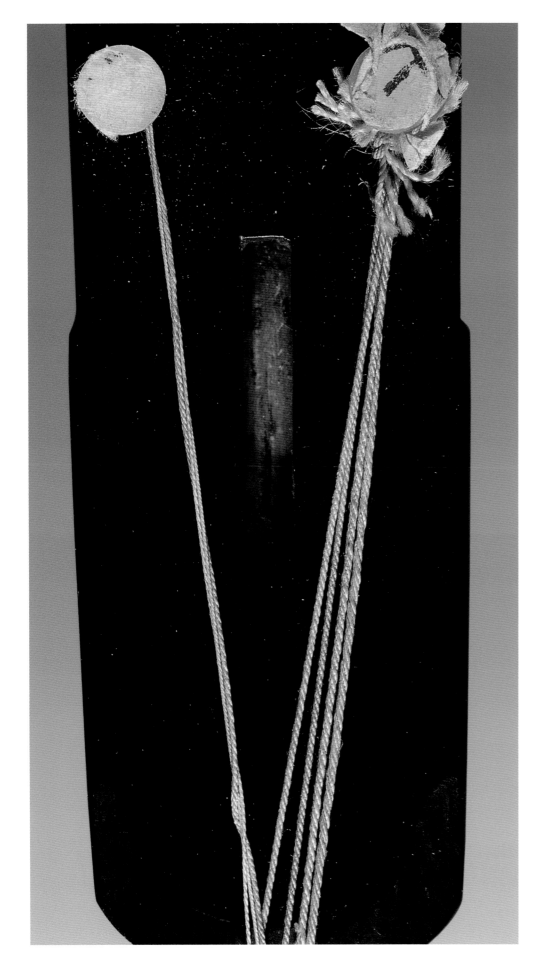

11. 仲尼式琴模

清代 / 通长 20.8 厘米　隐间 19.4 厘米　额宽 2.8 厘米

肩宽 3.2 厘米　尾宽 2.5 厘米　最厚 0.7 厘米

　　此模型为仲尼式,清康熙御制。面黑漆。金徽。白玉轸足大小如米粒,玉质透润镂刻精美。紫檀岳尾一丝不苟。张以丝弦,配正黄琴穗,处处皆具体而微。长方池沼,槽腹亦如式。制作比例匀称,可谓规矩至极。

　　琴背铭刻,龙池上方小篆"康熙御制"贴金印一方。或乃康熙欲制作古琴,因制模范,有以规正。

　　此器 1924 年 11 月 5 日,溥仪被逐出宫时作为细软携去。1946 年 7 月,当时任清理战时文物损失委员会平津区助理代表王世襄先生于天津张园原溥仪寓所接收一保险柜,珍宝一千数百件,回归故宫博物院,琴模即在其中。

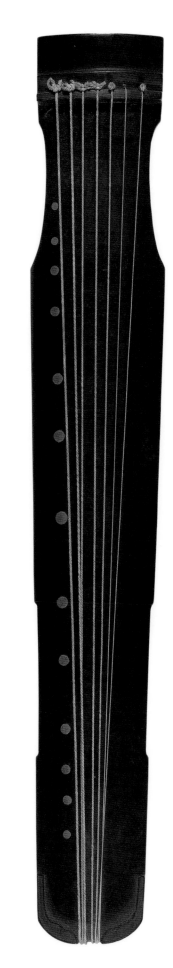

反面

侧面

正面

观赏琴

三 琴谱

古琴曲 秋鸿 图谱册

明 / 纵 41.4 厘米　横 71.9 厘米

图绢本 / 纵 24.3 厘米　横 62 厘米

谱纸本 / 纵 19.3 厘米　横 58.1 厘米

　　明宫旧藏浙派徐门所传古琴曲《秋鸿》图谱册，图先谱后，为绘图与曲谱的合装本。共分四册，册面装五色仿宋锦，素绢签，题楷书"琴谱"二字，并分别注序号为"平""沙""落""雁"四字于其下。因其为琴谱故未收入《石渠宝笈》之中。琴曲为纸本楷书，每段一开并有标题，图为绢本水墨工笔画，亦每段一开皆按标题内容绘制，无作者名款。每册封面后一开与最后一开上方钤"乾隆御览之宝"大印。

　　第一开为"清商调"和"夹钟清商意"两首练习曲，第二开为序曲"飞冥吟"，其下进入"秋鸿"主题，图先谱后依次排列。一般"秋鸿"谱自"渡江"开始"声断楚云"止，共三十六段，在主题"秋鸿"二字下，有两行小字注明："妙品夹钟清商曲，世谓清商楚望

谱，瓢翁、晓山翁累删。"表明谱经二人删节。按"瓢翁"乃南宋浙派名古琴家徐天民别号，其孙徐梦吉号晓山，梦吉子徐和仲，世为浙派大家。徐和仲系洪武元年"文华堂"名琴家之一。据《琴史初编》载："明成祖朱棣在藩邸时，曾召见徐和仲，并给以赏赐。"此谱或系徐和仲当时所进，故宫中藏有此谱。

　　本图谱前端的两首序曲为浙派徐门琴谱的特点，图谱中的两行小字注疑似徐和仲之所为。图画结合的琴谱仅此一件，据《明画录》称：明初浙派画家朱芾画"芦洲聚雁，极潇湘烟水之致"。本图是否为其所作，有待进一步的研究。

　　《秋鸿》一曲被明清许多古琴谱所收录，虽起止基本相同，但一般从《飞冥吟》开始，没有"清商调"与"夹钟清商意"两小曲，且中间各段次序多不一致。本图谱与明初朱

权的《神奇秘谱》和黄献的《梧冈琴谱》相较，曲目顺序也各有不同。明宫所遗的这部琴谱系原旧装裱，册页未有重装现象。因此，可信这部图谱应为浙派徐门的传谱，且图谱早于《神奇秘谱》。那么《秋鸿》一曲之作者确非朱权，实为南宋郭楚望可以明矣。

乾隆御览之宝

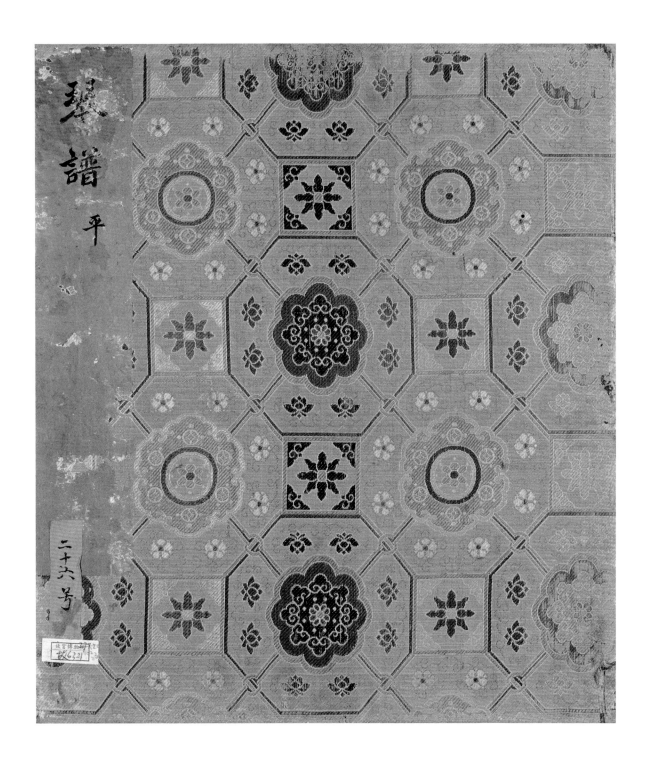

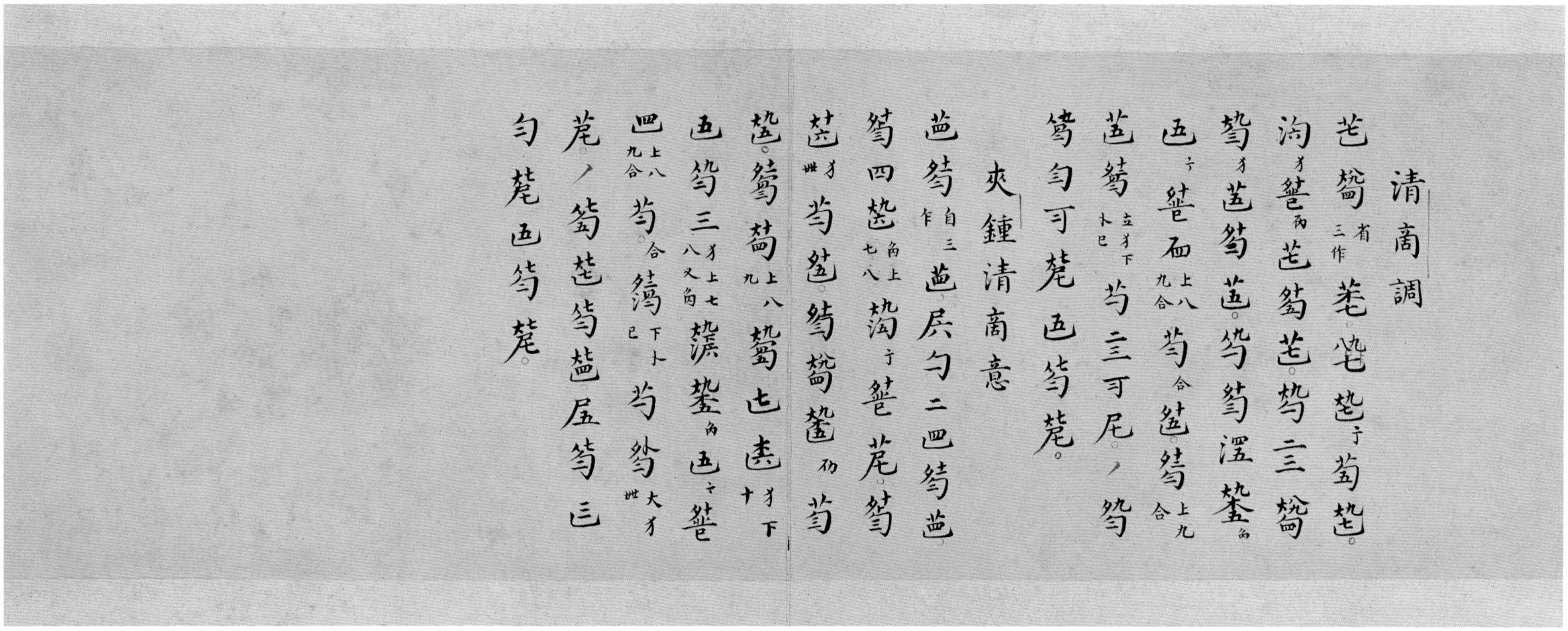
清商調
夾鍾清商意

清商调谱
夹钟清商意谱

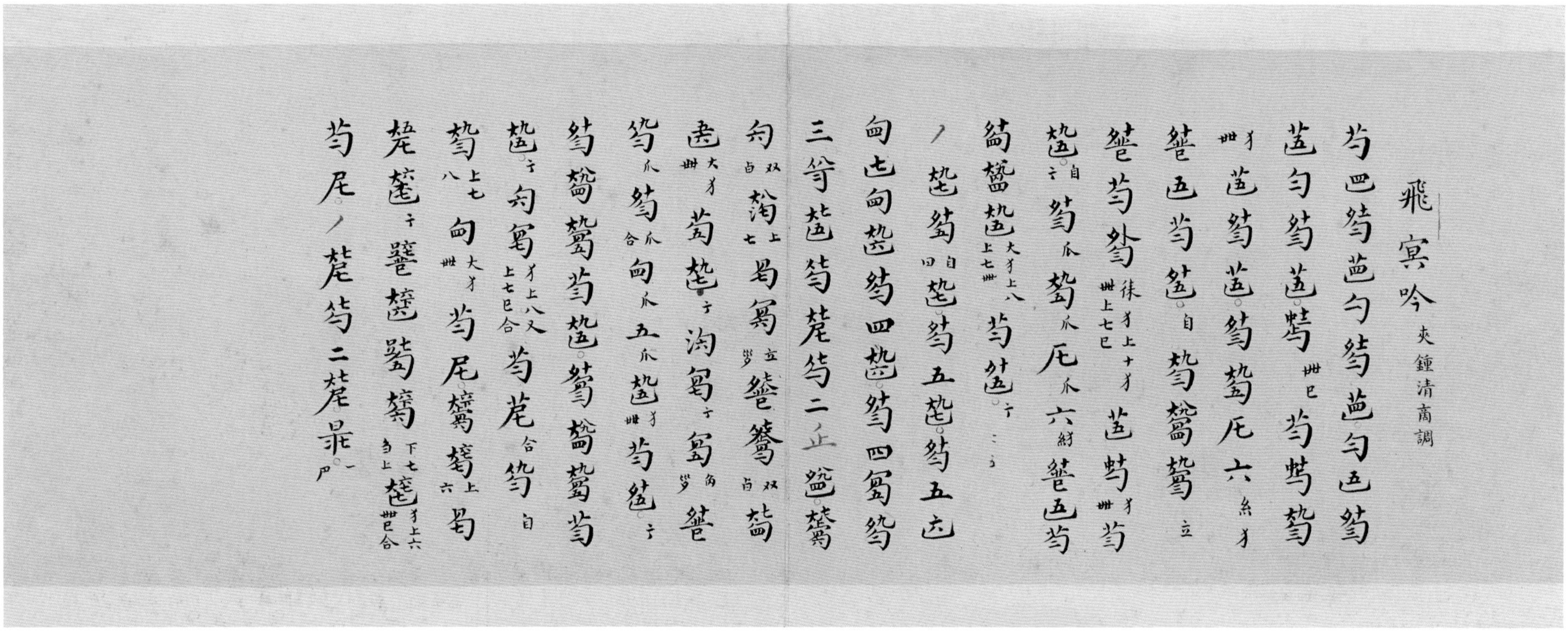
飛冥吟
夾鍾清商調

飞冥吟谱

渡江图

渡江谱

秋鸿 妙品夹钟清商曲
世謂清商楚望譜霜翁晚山翁累刷

渡江
丿筍蓙笃蓙筍可蓙
蓊厓菊戻筍罖蜀
匀可匀二蓙匀蓮筍
蓙筍可蓙纂杲作
可蓙筍六七筍然笃
六戻五筍然匀筍然
蜀六蜀匀然笃然六
匀蜀笃然匀笃然六七
簇五匀然笃四然笃
匀蜀匀寄二蓙匀二
三可戻匝匀蓙止

宾秋图

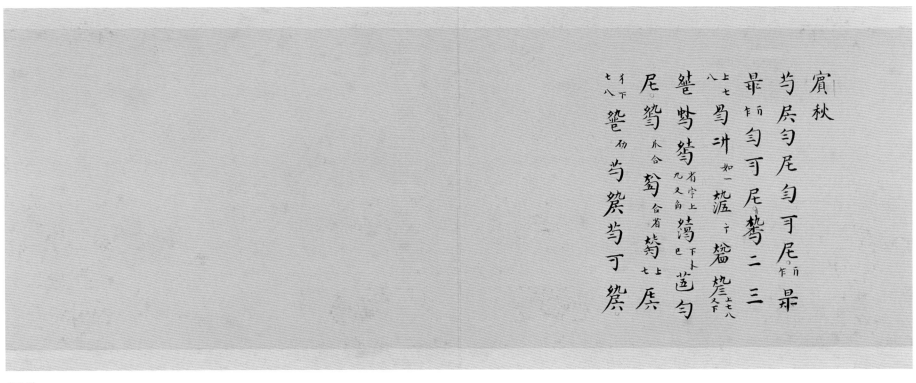

宾秋谱

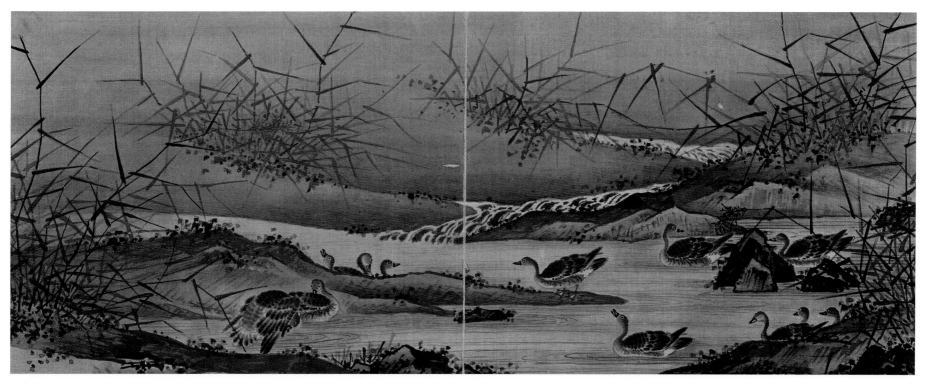

依渚图

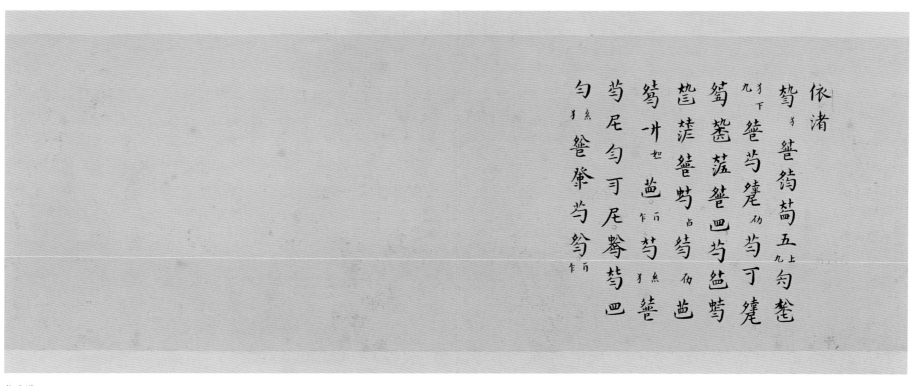

依渚谱

呼群图

呼群谱

呼芦图

呼芦谱

悲秋图

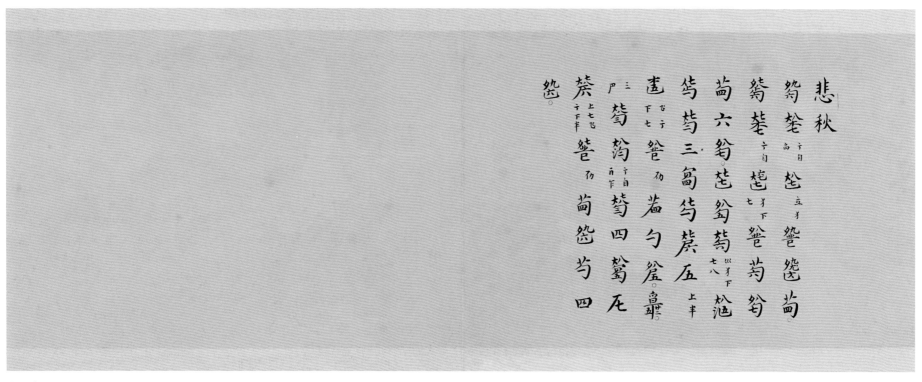

悲秋谱

聚沙图

聚沙谱

宿芦图

宿芦谱

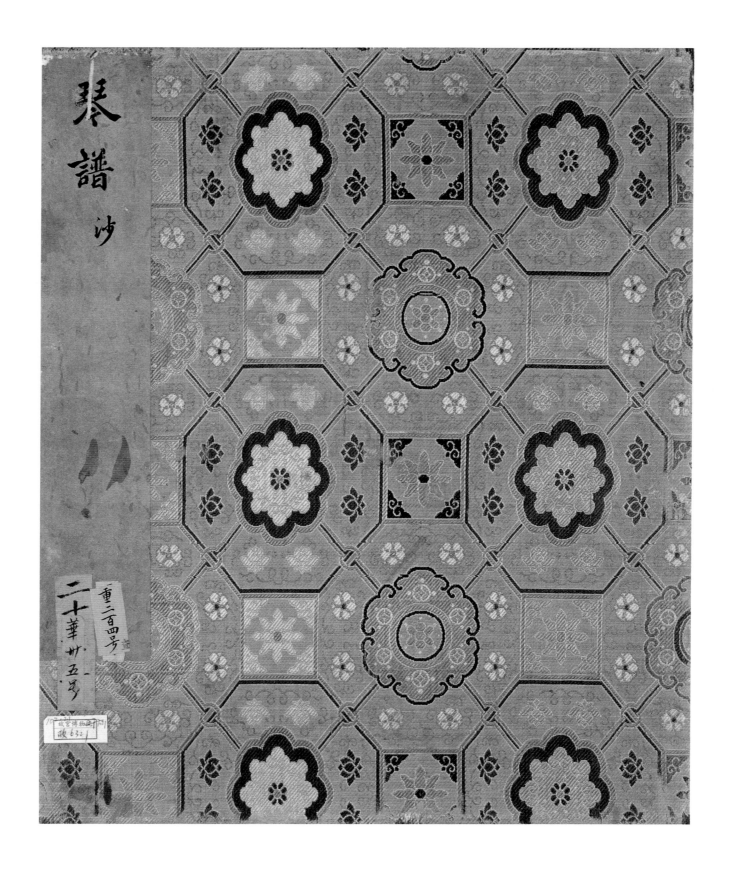

争芦图

争芦

争芦谱

出渚图

出渚谱

引群出塞图

引群出塞谱

列序图

列序谱

一举万里图

一举万里谱

衔芦图

衔蘆

藝梵笤笤枕。薹藝耄
笤苊耄。藝薹耄 上七七勾
勺 筍笆耄 上七 昌耄 立 笤
笔立匋勾笤笤匋笤鞒 上七八
鞒 尤主立才 笔勾茊箸鞒笁 又匋
勾 上十 勾芒筢勾十 箸
笔笤芒耄 匋六才 芒
五勾向鹽鷙 下角 鹽笆
勺薹五薹 毷三尸

衔芦谱

打围图

打围谱

打圍

筍䓫筍䓫𢄿 犭䍌曷一
䍈瓏一尸 𦭃䍌於㳑䍌䍈 犭
筍四㓞筍𠕁㓞筍六
䓫䍈立 䍆筍𢿘蔓襟淚
𦭃䍈立 䍆筍𢿘蔓襟淚
䍆筍 合立 𦭃𠫵𢿘夶合
𢄿䍈石勻六 㕚立 䍆勻
合 𦭃𢄿䍆𦭃甸厇
上七 𦭃𢄿䍆𦭃甸厇
䓫菡鵞立 䍆𦭃甸厇
罒車乍 筍菡

情同友愛图

情同友愛谱

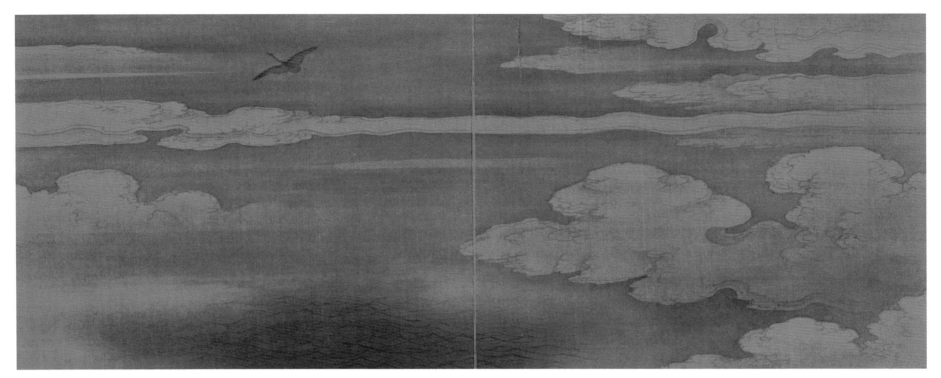

云中孤影图

云中孤影谱

雲中孤影 漸易

此段瀾遠須當指接庶免綴續君
任失節之病与遠落手沙喜同

南思洞庭水图

南思洞庭水谱

北望雁门关图

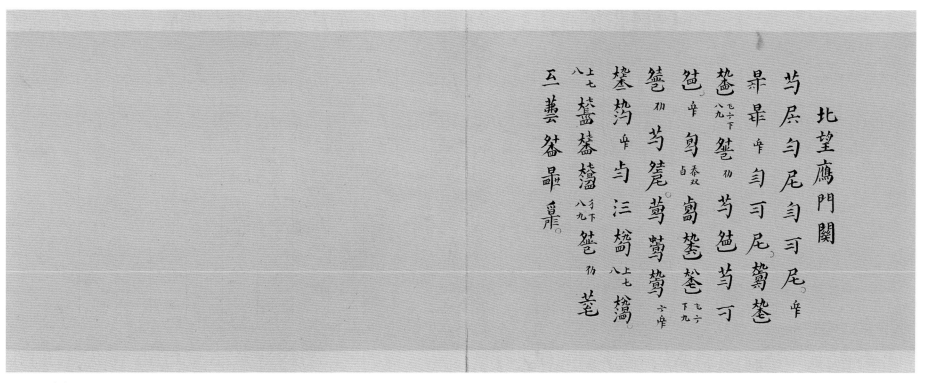

北望雁门关谱

顾影图

顾影谱

入云图

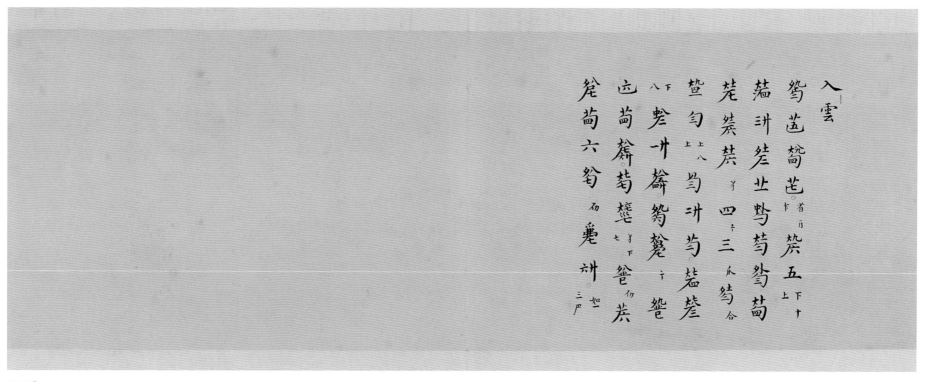

入云谱

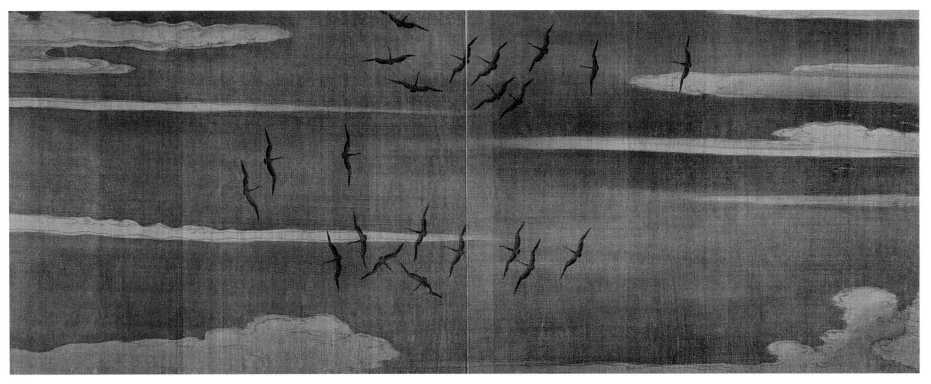

破阵图

破阵谱

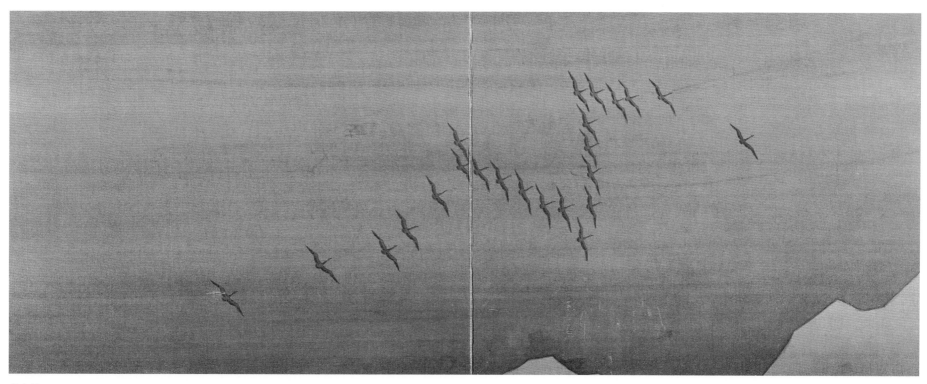

书空图

書空
丿箮蓝耸琶。丂作耸厌
勾琶。耸六厌勾琶耸
六厌五車作勾琶耸勹
琶笃勹厄勾
厄勹琶耸勹
蓝笃厄勹
笃耸蓝笃勾厌
五車作勹蓝笃四耸
勾蜀勹寸一二尾勹
二西勹尾勹二止尨

书空谱

远落平沙图

远落平沙谱

遠落平沙

叫月图

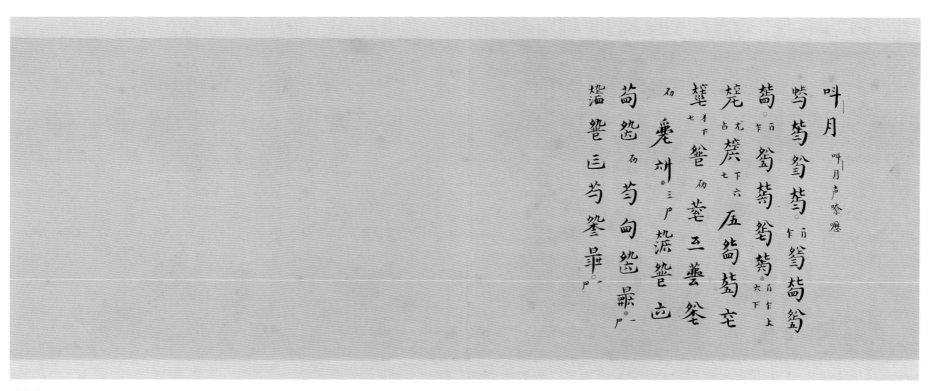

叫月谱

延颈图

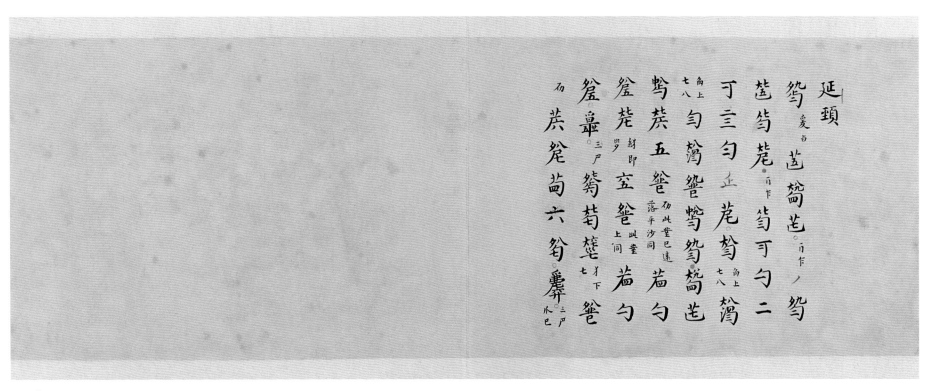

延颈谱

报更图

报更谱

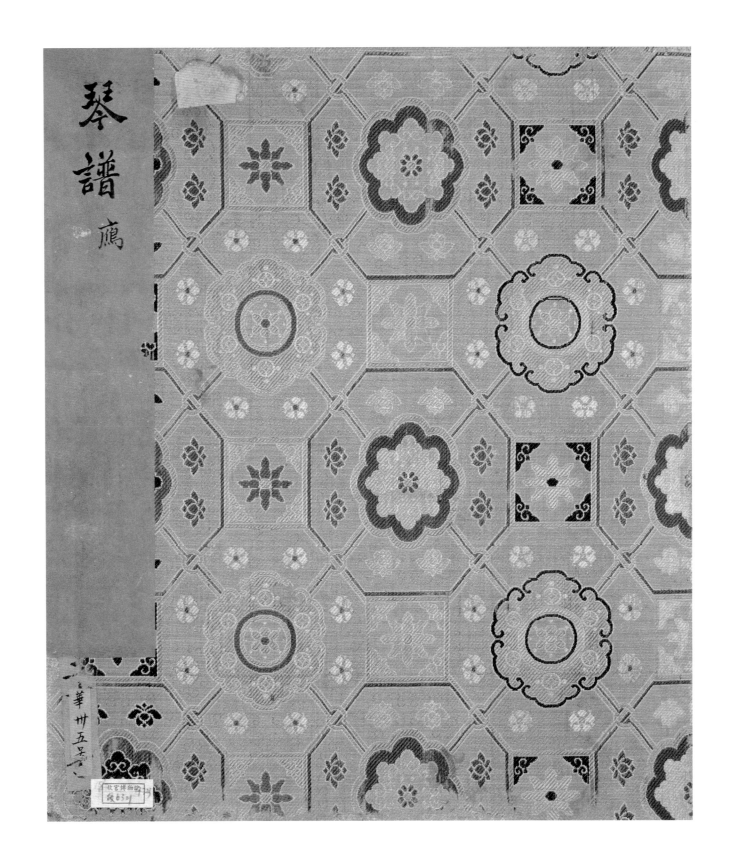

问讯衡阳图

問訊衡陽

问讯衡阳谱

传书图

传书谱

避弋图

避弋谱

惊寒图

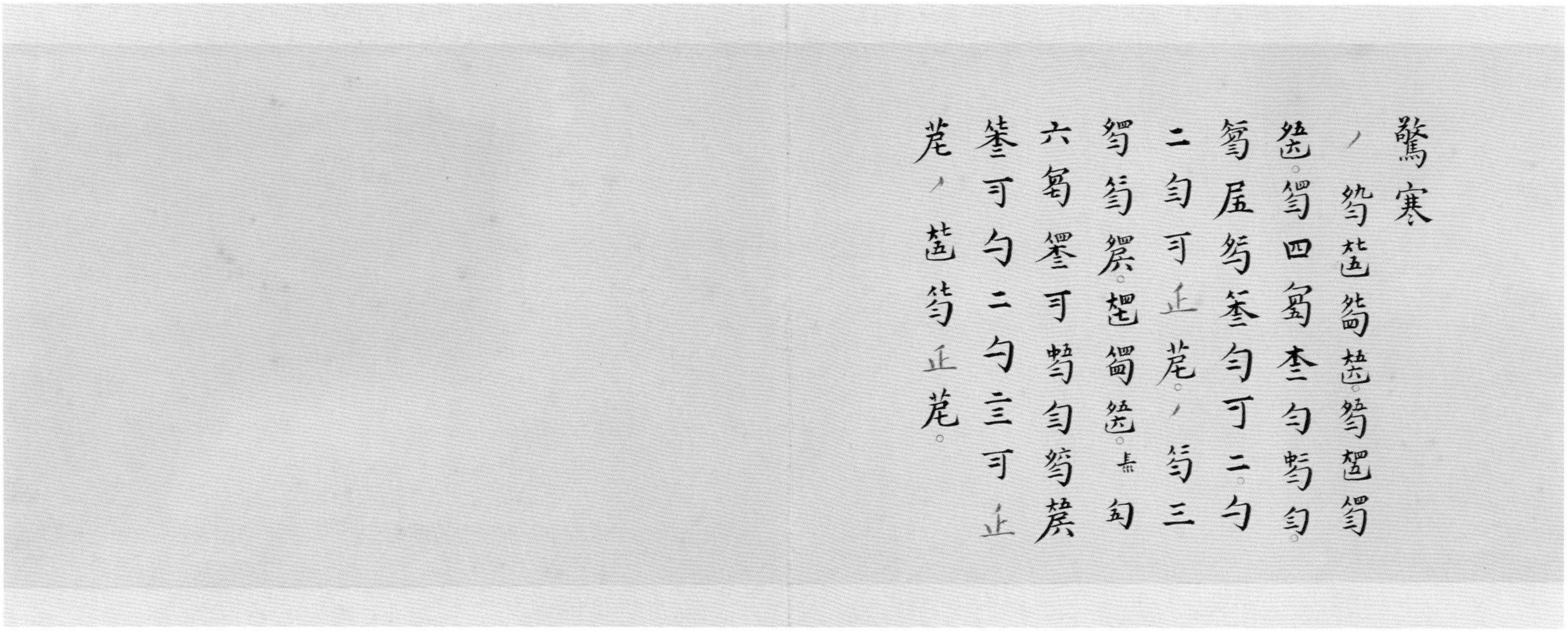

驚寒

（琴谱文字，略）

惊寒谱

怀北图

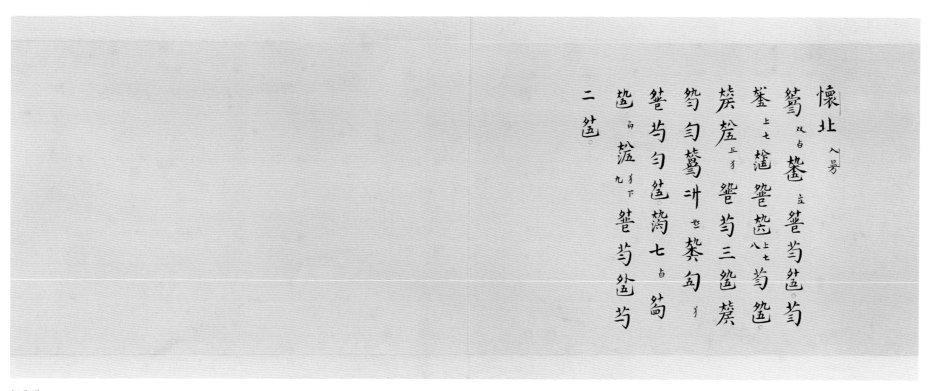

怀北谱

引阵图

引阵谱

入塞图

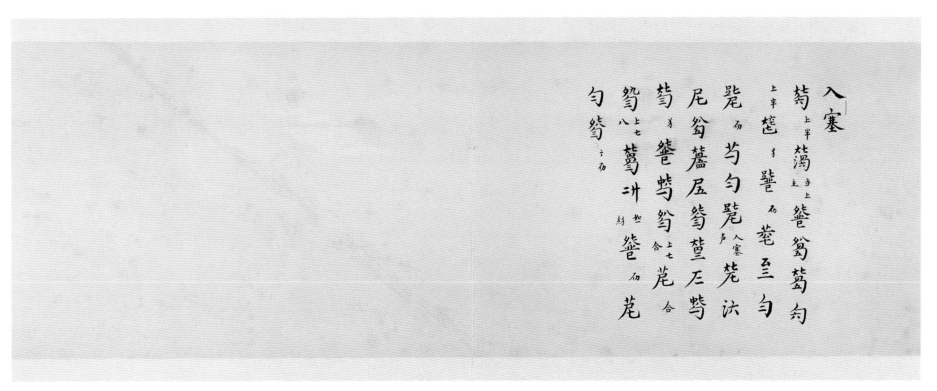

入塞谱

天衢远举图

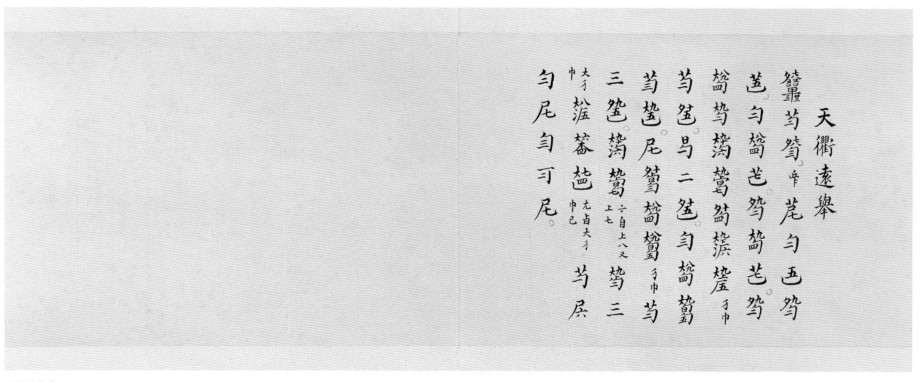

天衢远举谱

声断楚云图

声断楚云谱

满汉文琴谱

清康熙

宫中藏有清代满汉文琴谱三部，均装藏蓝"卍"字绫书皮，白绫书签。《梧冈琴谱》满汉文本，一函四卷，原汉文本系明代宫中太监黄献所集之嘉靖年间刊印本。此谱开本较大，应是琴文化中的奇品。满文抄本"琴谱"六册，以及满汉合璧《琴谱》四卷，目前尚不识抄自何谱。据康熙敕纂的《律吕正义》，命作的"康熙御制"琴模及这些"琴谱"来看，康熙皇帝一度是想要学琴的，但由于古琴难学易忘，终不能引发康熙的兴趣，所以紫禁城中再没有琴声出现。而这些"琴谱"的抄写应该是清康熙年间所为。

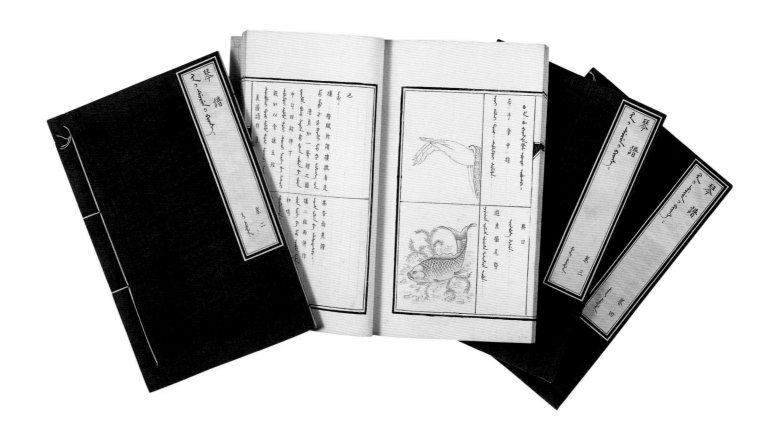

琴 琴 琴 琴　四
弦 囊 桌 箱

1. 朱漆雕花戗金龙"太古遗音"琴箱

明／长130厘米　宽26厘米　带拖泥加3厘米

弧形盖高18.4厘米

此为收藏"希声"古琴专用之具。弧形箱盖上面正中上端，作横匾与竖牌位形黑漆标签各一。匾式横刻楷书"御用"二字，下竖牌刻琴名"太古遗音"四字，均为楷书双勾，笔划刻细网纹。琴箱通身为朱漆，开光雕填"卍"字锦地，箱盖竖雕三曲身正面戗金龙，一双前爪高过头顶，托黑色标签，上部空间饰五彩流云杂宝纹，下部空间饰牡丹及海水江崖图案，前后两面饰戗金二龙戏珠纹，两端戗正面团龙，拖泥上饰雕填串枝灵芝纹，纹饰细密，色彩艳丽，通身发小蛇腹纹，剑峰隐起，古色古香，装光素鎏金饰件，就其雕填工艺、纹饰风格而论，应是明代中期御用监奉敕之作，箱底与里皆髹黑退光漆。

琴箱上贴有黄纸小条，上书"沈阳故宫"四字，按清帝入关前并无琴文化的史迹，应是乾隆时携带出关的，但目前尚未得有关记述资料。

2. "音朗号钟"铜琴随形琴箱

清 / 通长 127.3 厘米　额宽 21 厘米　肩宽 23.5 厘米　尾宽 19 厘米

琴箱头厚 13.9 厘米　琴箱尾厚 13.2 厘米

　　"音朗号钟"琴随形琴箱，黑漆，遍身牛毛断，双蝶形錾花鎏金合叶。箱盖上刻隶书"汉制，音朗号钟，大清乾隆辛酉年装"，篆印"永宝用之"。箱头填金隶书"头等二十三号"箱盖内面书泥金漆篆书琴铭："吴歈莫讴，赵褒莫舞。请奉雅琴，中有太古。澹与泊遭，清与静伍。神爽形安，雾绝机杜。德音昭昭，德容诩诩。顺天地性，安仁寿土。既与政通，亦作心矩。神人以和，民物以煦。若其悦耳，不如羯鼓。"小方朱印"乾隆御题"。"乾隆辛酉"即乾隆六年（1741），按照内务府造办处活计档，早在雍正四年（1726），即有为宫中藏琴制箱评级之事，计分"出等琴""有等次琴"两种，"出等琴"配红漆套箱，"有等次琴"配黑退光漆套箱。乾隆年间续为之，此即"有等次琴"。这些琴大部分在圆明园，已毁或被劫掠，今故宫博物院仅此一件，原琴、箱分置不同处，后被发现，因得合璧。另外流落在外尚有上海一件。

　　琴箱内遗留一纸，云："光绪九年九月十一日长春宫小太公谢文玉传静怡轩铜琴一张随匣子，九月二十二日小太公李文太交下铜琴一张，面破坏，匣子留。"姑记于此，以见当时宫中制度。

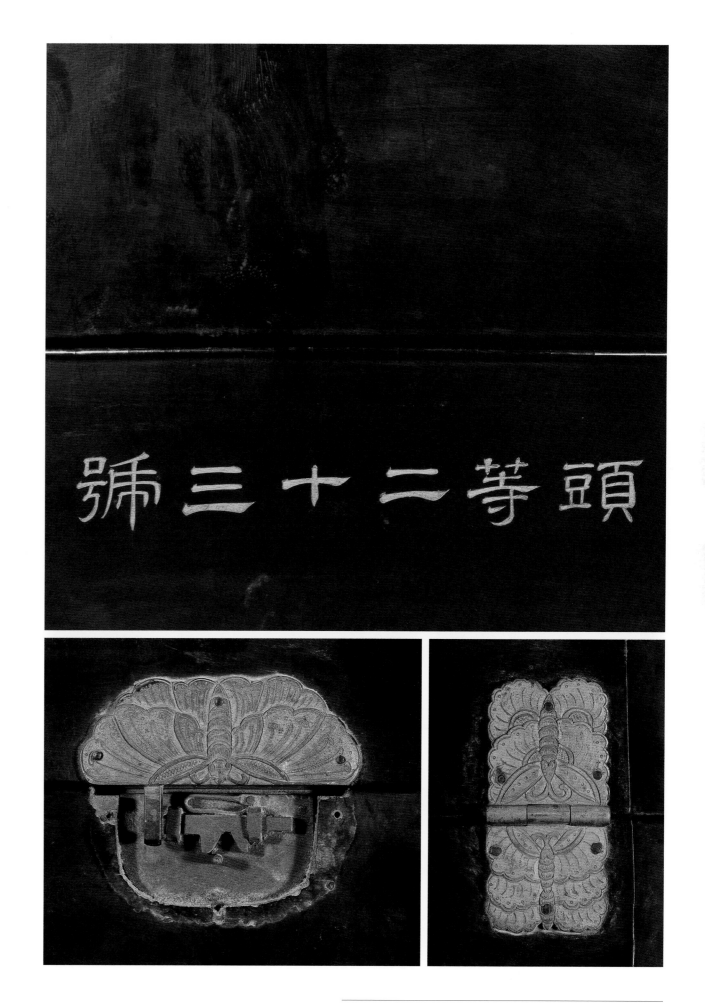

3."天籁"铁琴随形琴箱

清／通长 123.5 厘米　额宽 21.8 厘米　肩宽
21.8 厘米

尾宽 17.3 厘米　头尾厚 11.6 厘米

　　"天籁"琴有楠木随形箱，盖上刻清人题
识皆满。最上方竖题"晋孙登公和铁琴"。
其下右刻阮元、梁章钜道光二十六年丙午
（1846）行书跋，知藏者乃字号"修梅"者。
左刻同年五月十二日张廷济行书长诗，由诗
序可知此琴系"嘉庆七年菘圃吴相国官江南
河督时，铁治亭制府所赠，公子惕勤州守世
珍之"。最下刻琴铭，署"铁琴嘱，之珍篆"。
按"菘圃吴相国"即吴璥，字式如。"铁治亭
制府"即铁保，字治亭，号梅庵、铁卿，先祖

姓觉罗氏，后改束鄂氏。二人此时均已去世
多年，"修梅"者应是"公子惕勤州守"，道光
丙午遍求题识制匣刻之，遂为后人所重。

　　其后光绪三年（1877）《金石屑》复有记
载，其作者鲍昌熙少筠即张廷济弟子。民国
时杨时百《琴学随笔》云琴存河南某氏，是
系耳闻，不知确否。后琴为叶恭绰《遐庵谈
艺录》记载。1952 年最终由当时文化部文物
局购于刘晦之，入藏故宫博物院至今。

4. 朱漆雕填戗金琴桌

明 / 横宽 97 厘米　纵宽 45 厘米　高 70 厘米

琴桌长方形，为扩大音韵的专用设备。立水式沿板，直腿、壶门式牙子、马蹄式足。在桌面、束腰沿板、桌腿各部均饰开光锦地戗金双龙戏珠式赶珠龙纹，填漆彩云立水、八宝，或作填彩缠枝花卉，金碧辉煌，典雅富丽。在黑漆底板中心两侧各开古钱纹音孔一个，使桌面与底板间音箱的空气流通，加强桌上琴音的共鸣，可以扩大古琴的音响效果。这种琴桌为独奏时的用具，造型灵巧，做工精致，纹饰华美，在古代家具中是别具匠心的孤品，就其制作工艺、纹饰风格而论，这张琴桌应是明代万历时期御用监奉敕之作。

琴箱、琴桌、琴囊、琴弦

5. 金棕地如意夔龙大天华宋锦琴囊

清乾隆 / 长 149 厘米　宽 30 厘米

　　琴囊为保护古琴的另一种设施，以金棕地如意夔龙大天华锦为面，内衬蓝色菱格太极纹锦，朱红色平纹绢里，内絮棉。

　　如意夔龙大天华锦，以八角几何纹为间架，由两组主体花纹构成。一组以八朵如意云头组成。中心饰瑞花，辅以朵花蔓草，装饰华丽精细；另一组以四夔龙组成，中心饰宝花，辅以连钱纹。夔龙形象生动，稚拙可爱。整体布局均衡大气，刚柔相济，用色沉稳和谐。织锦采用纬五重组织，工艺水平极高，其提花工艺与清代的不同，当为宋代织锦，极为珍贵。琴囊绢里有墨书："含德斋西暖阁琴套"。

6. 白地瑞花仿宋锦琴囊

清乾隆 / 长 158 厘米　宽 25 厘米

　　白地瑞花锦为面，粉红色折枝团花春绸里，内絮棉。

　　织锦以白色三枚经斜纹为地，蓝、绿两色彩纬长跑梭织小卷叶纹，沉稳雅洁；以红、黄、粉、月白、金黄、葡灰、茶褐等色彩纬，采用分段换梭工艺，纬三重、四重组织，起四出小瑞花，精巧可爱。该锦当为乾隆时期织制的仿宋锦。

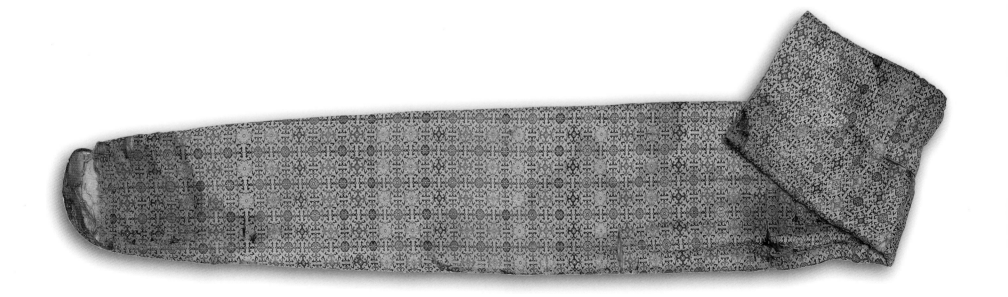

7. 黄地棋纹仿宋锦琴囊

清乾隆 / 长 157 厘米　宽 26 厘米

　　黄地棋纹锦面，淡黄色素绢里，内絮棉。

　　织锦为棋纹几何纹样，纬五重、六重组
织。用色沉稳，晕色丰富自然，风格古雅，织
造精工。常见于乾隆时期书画册页的封套装
裱。同样的花纹有几种不同的配色方法，显
示出不同的色调风格。

8. 香色地菱格瑞花仿宋锦琴囊

清乾隆 / 长142 厘米　宽 24 厘米

香色地菱格瑞花锦面，月白色缠枝花绫里，夹套。

织锦以香色经面斜纹为地，墨绿色菱形格内填织铃杵纹、月白色和米色六瓣瑞花，沉稳素雅，富有装饰意味。色用两晕，片金勾边。织造紧密，片金交织点闪烁其间。从织造工艺和纹样、用色可知该锦为乾隆时期织造的仿宋锦。

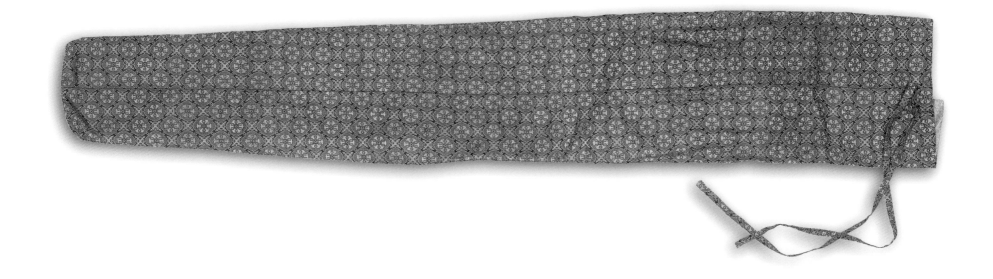

9. 丝质太清琴弦

清早期／每包一副四圈九根

八音之最弦克当之。（乾隆题"松石间意"琴匣句）琴之于弦，犹书之于笔，皆不可或缺之物。宫中旧藏琴弦，当系杭州织造所进。丝质作涅白色，因半透明故有冰弦之称。原有之外包装已失，每副用黄纸包装成四方形，内有弦九根，分作四圈，故清室善后委员会在接收清点时书"四"字于黄纸包上。据旧时琴弦包装上所印文字说："宋代李世英造琴弦最有名，在杭州开设'回回堂'销售琴弦，代代相传。"至清末尚有杭州生产的以古琴为记的"锡记"，与其后之"老三泰"相继出售"回回堂"传统技法所制之弦，供琴人使用。七七事变之后，杭弦遂绝。近代琴家虽想竭力恢复，但尚未掌握"回回堂"弦的制作方法，所制的质量与这批旧弦差距远甚。

成批琴弦入宫，自是应需之物，时间大约在康熙之世，因雍乾而后不知清代还有哪位皇帝赏玩过古琴了。

后 记

古琴历史悠久,在中华民族的文化史中有着崇高的地位,作为乐器,成熟于尧舜之世,定形于西周之始,一直到二十世纪三十年代,中国有心的琴人用七弦琴与西洋乐器进行对比,才发现七弦琴的性能并不逊色,从而加强了琴人的民族自豪感。今天中国古琴被联合国教科文组织定为世界非物质文化遗产之后,人们在欣赏琴曲的同时,必将对琴器性能特点产生兴趣作进一步的了解,从而将促进琴器的制作生产继往开来进一步发展。

本书在策划之初是准备将著名古琴的优美琴音作成记录同时发表,使赏琴同时得闻其声,但由于主客观条件的限制,这项工作未能进行。CT 平扫图像仅作为帮助了解内部构造的资料加以发表。关于名琴音响特点,将另作专题研究再行发表,或对造琴家制出更多希音的琴会有所帮助。

本书的编纂于 2004 年 6 月正式开始工作,我院文物管理处的梁京生领导和钱九如、屠学军等工作人员在百忙工作中,自始至终再三再四地挤时间配合工作,从逐件过目写出清单,到每周出库五张古琴制作研究卡、拍资料照、绘制线图,测量古琴尺寸,后送二十张古琴去拍 CT 平扫图像,最后再分批出库送资料信息中心照相。由于他们一再努力保证了 2005 年 6 月基本完成编稿工作。此外还得到我院的古建部、宫廷部、书画部、图书馆、行政服务中心、资料信息中心领导派员的支持。刘明杰、李凡、孙志远等同志为古琴拍摄努力工作和郭雅玲女士在图片资料上支持。紫禁城出版社调出刘岐荣同志参加工作,另外还得到北京大学中文系副教授王风先生在古琴说明和各项资料工作中的协作。另外特别是得到曾在故宫南库发现唐代"大圣遗音"琴,又从天津张园收回散失了的故宫部分珍品文物包括康熙御制古琴模型在内的九十高龄的前陈列部主任王世襄先生为本书题签增加了无限光彩,谨此一并致以衷心的谢忱。

郑珉中　2006 年 9 月 6 日

后 记

《故宫经典》是从故宫博物院数十年来行世的重要图录中，为时下俊彦、雅士修订再版的图录丛书。

故宫博物院建院八十余年，梓印书刊遍行天下，其中多有声名皎皎、人皆瞩目之作，越数十年，目遇犹叹为观止，珍爱有加者大有人在；进而愿典藏于厅室，插架于书斋，观赏于案头者争先解囊，志在中鹄。

有鉴于此，为延伸博物馆典藏与展示珍贵文物的社会功能，本社选择已刊图录，如朱家溍主编《国宝》、于倬云主编《紫禁城宫殿》、王树卿等主编《清代宫廷生活》、杨新等主编《清代宫廷包装艺术》、古建部编《紫禁城宫殿建筑装饰——内檐装修图典》等，增删内容，调整篇幅，更换图片，统一开本，再次出版。唯形态已经全非，故不再蹈袭旧目，而另拟书名，既免于与前书混淆，以示尊重；亦便于赓续精华，以广传布。

故宫，泛指封建帝制时期旧日皇宫，特指为法自然、示皇威、体经载史、受天下养的明清北京宫城。经典，多属传统而备受尊崇的著作。

故宫经典，即集观赏与讲述为一身的故宫博物院宫殿建筑、典藏文物和各种经典图录，以俾化博物馆一时一地之展室陈列为广布民间之千万身纸本陈列。

一代人有一代人的认识。此番修订，选择故宫博物院重要图录出版，以延伸博物馆的社会功能，回报关爱故宫、关爱故宫博物院的天下有识之士。

2007 年 8 月